Georges Simenon

La vérité
sur Bébé Donge

Gallimard

Georges Simenon naît à Liège le 13 février 1903.

Après des études chez les jésuites, il devient, en 1919, apprenti pâtissier, puis commis de librairie, et enfin reporter et billettiste à *La Gazette de Liège*. Il publie en souscription son premier roman, *Au pont des Arches*, en 1921 et quitte Liège pour Paris. Il se marie en 1923 avec « Tiggy », et fait paraître des contes et des nouvelles dans plusieurs journaux. *Le roman d'une dactylo*, son premier roman « populaire » paraît en 1924, sous un pseudonyme. Jusqu'en 1930, il publie contes, nouvelles, romans chez différents éditeurs.

En 1931, le commissaire Maigret commence ses enquêtes... On tourne les premiers films adaptés de l'œuvre de Georges Simenon. Il alterne romans, voyages et reportages, et quitte son éditeur Fayard pour les Éditions Gallimard où il rencontre André Gide.

Durant la guerre, il est responsable des réfugiés belges à La Rochelle et vit en Vendée. En 1945, il émigre aux États-Unis. Après avoir divorcé et s'être remarié avec Denyse Ouinet, il rentre en Europe et s'installe définitivement en Suisse.

La publication de ses œuvres complètes (72 volumes !) commence en 1967. Cinq ans plus tard, il annonce officiellement sa décision de ne plus écrire de romans.

Georges Simenon meurt à Lausanne en 1989.

I

N'arrive-t-il pas qu'un moucheron à peine visible agite davantage la surface d'une mare que la chute d'un gros caillou? Ainsi en fut-il ce dimanche-là à *la Châtaigneraie*. D'autres dimanches, pour les Donge, sont restés en quelque sorte historiques, comme le dimanche de l'orage, quand le hêtre s'est abattu « trois minutes après le passage de maman », ou encore le dimanche de la grande dispute, celle qui a brouillé les deux ménages pour plusieurs mois.

Ce dimanche-là, au contraire, qu'on pourrait appeler le dimanche du grand drame, s'écoula avec la limpidité et le calme d'un ruisseau en plaine.

François s'éveilla vers six heures, comme chaque fois qu'il était à la campagne. Sa femme ne l'entendit pas quitter la chambre sur la pointe des pieds ou, si elle l'entendit, elle ne battit pas des paupières.

On était le 20 août. Le soleil était déjà levé, le ciel d'un bleu lavé d'aquarelle, l'herbe humide et odorante. Dans la salle de bains, François se donna tout juste un coup de peigne, et il descendit en pyjama et en sandales, pénétra dans la cuisine où Clo, la cuisinière, à peine plus vêtue que lui, versait lentement l'eau bouillante dans la cafetière.

— J'ai encore été dévorée des moustiques! dit-elle en montrant ses cuisses blêmes, étoilées de rouge.

Il but son café et gagna le jardin. A dix heures, il y était toujours. Que fit-il au juste? Rien de mémorable. Dans le potager, il remarqua que beaucoup de pieds de tomates étaient à redresser. Penser à le dire le lendemain à Papau, le jardinier. Lui rappeler aussi de ne pas laisser le tuyau d'arrosage zigzaguer en travers des chemins. Quant aux haricots verts, on les cueillait toujours trop gros.

Des persiennes s'ouvrirent, au premier étage de la maison. Une tête de gamin parut à la fenêtre. François agita la main pour dire bonjour à son fils et l'enfant fit de même. Il était en robe de chambre blanche.

Sous les grands cheveux en broussaille, le visage paraissait plus mince, plus diaphane, les yeux plus cernés. Il avait, de son père, le nez long et de travers. C'était frappant. Rien qu'à cause de ce trait, François ne pouvait le renier. Pour le reste, l'enfant ressemblait à sa mère dont il avait la fragilité, cette apparence de fine porcelaine. Jusqu'au bleu des yeux qui était un bleu de porcelaine!

Marthe, la femme de chambre, allait habiller le gamin. Les chambres étaient claires. La maison était gaie. C'était vraiment la maison de campagne idéale, telle que peuvent la concevoir des citadins. Impossible de retrouver trace de la bicoque paysanne qui avait servi de base à la construction. De belles pelouses. Des pentes molles. Un verger qui, au printemps, était un enchantement. Un petit bois et un ruisseau d'eau vive.

Les cloches sonnèrent. On apercevait le clocher carré d'Ornaie par-dessus les pommiers. Derrière une haie passait un chemin raide, râpeux, et François entendit les pas des voisins qui allaient à la messe. On percevait la respiration difficile des bonnes femmes essoufflées. C'était curieux : on ne les voyait pas; jusqu'au raidillon, elles

11

caquetaient; après quelques mètres, les mots s'espaçaient; enfin, elles s'interrompaient au beau milieu d'une phrase pour ne reprendre la conversation qu'au haut de la pente.

François alla chercher le rouleau dans le hangar et roula le tennis dont, ensuite, il retendit le filet.

Il était peut-être neuf heures quand il vit arriver son fils, une canne à pêche à la main.

— Remets-moi mon hameçon...

Jacques avait huit ans, de longues jambes maigres, des lèvres ourlées de fille.

— Ta mère est levée?

— Je ne sais pas.

Et le gamin descendit vers le ruisseau. Il n'avait jamais rien attrapé. Le hasard voulut que, ce dimanche-là, un petit poisson s'accrochât au bout de sa ligne. Il n'osait pas y toucher. Il haletait, presque effrayé.

— Papa! Un poisson... Viens vite...

Enfin, François Donge, toujours en pyjama, les sandales humides, allait se diriger vers la serre, quand la cuisinière parut au bout du chemin.

— Qu'est-ce que c'est, Clo?

— Vous avez oublié les champignons...

Je ne peux pas préparer mes poulets bonne-femme sans champignons et on n'en vend pas au bourg...

C'était tous les dimanches à recommencer! François faisait le marché le samedi, entassait dans l'auto tout ce qu'on lui avait demandé d'apporter. Chacun lui envoyait sa liste, celle de la cuisinière écrite au crayon sur un morceau de papier informe.

— Vous êtes sûre de m'avoir demandé des champignons?

— Je suis sûre de les avoir mis sur la liste...

— Et ils n'étaient pas dans la voiture?

Tant pis! Il alla s'habiller, écouta à la porte de sa chambre. Si sa femme ne dormait pas, elle ne faisait pas de bruit.

François Donge n'était pas grand. Il était mince, mais dur, solide, avec des traits fins et ce long nez de travers si caractéristique, des yeux assez malicieux.

— Ne me regarde pas avec cet air de te moquer du monde! lui répétait souvent sa femme, Bébé Donge.

Bébé! Quelle idée de l'appeler Bébé! Après dix ans de mariage, il n'y était pas habitué. Enfin!... Puisque sa famille l'avait toujours appelée ainsi, et ses amies, et tout le monde!...

Sortir l'auto du garage, en descendre pour ouvrir la barrière blanche puis pour la refermer. Il n'y avait que quinze kilomètres pour la ville. Beaucoup de vélos sur la route. On les remarquait surtout dans la côte de Bel-Air parce que les cyclistes étaient obligés de marcher en poussant leur machine. Déjà des pique-niques en préparation à la lisière des bois. François, qui avait une action de chasse, pensa qu'à l'ouverture on buterait encore dans les tessons de bouteilles.

Le pont. La rue du Pont-Neuf, toute droite, coupée en deux par le soleil, avec seulement quatre ou cinq personnes sur plus d'un kilomètre de trottoirs. Les volets baissés des boutiques et les enseignes qui ressortaient davantage que les autres jours, la grande pipe rouge du bureau de tabac, l'énorme montre de l'horloger, le panonceau de l'huissier. Justement, l'huissier était en train de mettre sa voiture en marche.

Épicerie du Centre, ombragée par un grand vélum. Odeur de pain d'épice. L'épicier en blouse écrue. Lui aussi, tout à l'heure, entasserait sa famille dans l'auto qui servait à faire les livraisons.

— Mettez-moi un petit sac de bonbons pour mon fils.

— M. Jacques va bien? A la campagne, il doit profiter. Et Mme Donge? Elle ne s'ennuie pas, toute seule?

Ce sac de bonbons, au fait, François oublia de le donner à son fils et ce fut longtemps plus tard, trois semaines au moins, qu'en remettant le complet qu'il portait ce jour-là il le retrouva, tout collant, dans sa poche.

Trois semaines plus tard! On dit :

— Dans trois semaines...

Ou bien :

— Il y a trois semaines...

Et on n'imagine pas ce que trois semaines, ce que quelques heures peuvent contenir. Celui qui aurait annoncé que trois semaines plus tard Bébé Donge serait en prison... La femme la plus délicate, la plus jolie, la plus gracieuse... On ne parlait même pas d'elle comme on parle de quelqu'un d'autre, comme par exemple on parlait de sa sœur Jeanne.

Si l'on disait :

— J'ai rencontré Jeanne hier chez la modiste...

On prononçait ces mots naturellement. On avait rencontré Jeanne Donge, simplement, une petite femme active, boulotte, toujours en mouvement, la femme de Félix

Donge. Car les deux sœurs avaient épousé les deux frères.

— J'ai vu Jeanne hier...

Ce n'était pas un événement. Prononçait-on, par contre :

— Je suis allé à *la Châtaigneraie* et j'ai vu Bébé Donge...

On se croyait obligé d'ajouter :

— Quelle femme délicieuse !

Ou encore :

— Elle est plus séduisante que jamais...

Ou :

— Il n'y a personne pour s'habiller comme elle...

Bébé Donge ! Un pastel ! Un être aérien, immatériel, sorti d'un recueil de poésies.

Bébé Donge en prison !

Et François remontait dans sa voiture, hésitait à s'arrêter au Café du Centre pour prendre l'apéritif, décidait de ne pas le faire par crainte d'arriver en retard avec les champignons.

Dans la côte, il dépassait l'auto de son frère. Félix était au volant. Leur énorme et digne belle-mère à tous deux, Mme d'Onneville (son défunt mari, avant leur mariage, écrivait son nom Donneville) était assise à côté de lui, vêtue, comme toujours, de choses vaporeuses.

Derrière, Jeanne avec ses deux enfants. Bertrand, le gamin, qui avait dix ans, se pencha à la portière et agita le bras au passage de son oncle.

Les deux voitures atteignirent l'une derrière l'autre le portail de *la Châtaigneraie*. Mᵐᵉ d'Onneville remarqua :

— Je ne vois pas l'utilité de nous dépasser...

Puis, sans transition, en observant les fenêtres ouvertes de la maison :

— Bébé est levée?

On attendit Bébé Donge une bonne demi-heure. Elle avait passé deux heures à sa toilette, comme d'habitude.

— Bonjour, maman... Bonjour, Jeanne... Bonjour, Félix... Tu avais encore oublié quelque chose, François?

— Les champignons...

— J'espère que le déjeuner est prêt?... Marthe! Vous avez mis le couvert sur la terrasse?... Où est passé Jacques?... Marthe!... Où est Jacques?...

— Je ne l'ai pas vu, madame...

— Il doit être au ruisseau, intervint François. Ce matin, il a attrapé un poisson et il en était fou...

— S'il se mouille les pieds, il sera malade pendant quinze jours...

— Voici M. Jacques qui revient... Madame est servie...

Il faisait chaud. Le soleil était un peu sirupeux, l'herbe crépitante de sauterelles.

De quoi parla-t-on à table? En tout cas du docteur Jalibert, qui faisait construire une nouvelle clinique. C'est évidemment Mme d'Onneville qui parla du docteur Jalibert et elle ne manqua pas de jeter un coup d'œil à Bébé Donge, puis à François.

Pour un peu, elle aurait dit à sa fille :

— Tu ne sais donc pas que ton mari et la belle Mme Jalibert... Toute la ville est au courant... Certains prétendent que Jalibert lui-même le sait et ferme les yeux...

Toujours est-il que Bébé Donge ne tressaillit pas au nom de Jalibert. Elle mangeait délicatement, le petit doigt écarté. Ses mains étaient des œuvres d'art. Écoutait-elle? Pensait-elle? Tout ce qu'elle dit au cours du repas, ce fut :

— Mange proprement, Jacques...

Il y avait là deux frères et deux sœurs dont le sort avait fait deux ménages. En ville, on disait couramment :

— Les frères Donge...

Peu importait lequel des deux on avait vu, avec lequel des deux on avait traité. François et Félix se ressemblaient comme

18

des jumeaux, bien qu'il y eût trois ans de différence entre eux. Félix, comme son frère, avait le fameux nez des Donge. Même taille et même corpulence. Ils pouvaient mettre les complets l'un de l'autre et ils s'habillaient de la même façon, presque toujours dans les tons gris.

Ils n'avaient besoin de rien se dire : on sentait qu'ils vivaient toute la semaine ensemble, qu'ils travaillaient à la même affaire, dans les mêmes ateliers, dans les mêmes bureaux, qu'ils voyaient les mêmes gens et avaient les mêmes soucis.

Peut-être Félix était-il un peu moins consistant que François?

François était le chef, cela se sentait aux moindres détails.

Or, c'était Félix qui avait épousé la remuante Jeanne qui, entre deux plats, allumait déjà une cigarette, en dépit du regard réprobateur de sa mère.

— Jolie éducation que tu donnes à tes enfants...

— Si tu crois que Bertrand ne fume pas en cachette! Je l'ai surpris avant-hier qui chipait des cigarettes dans mon sac...

— Si je te les avais demandées, tu ne me les aurais pas données...

— Tu entends?

Mᵐᵉ d'Onneville ne pouvait que soupirer. Elle n'avait rien de commun, elle, avec ces frères Donge. Elle avait passé la plus grande partie de sa vie à Constantinople, où son mari était directeur des docks. Elle vivait, là-bas, dans un monde raffiné, parmi les diplomates et les personnalités de passage. Ce dimanche encore, elle était habillée comme pour un déjeuner dans quelque ambassade de Thérapia.

— Marthe! Vous servirez le café et les liqueurs au jardin...

— On peut jouer au tennis? demanda Bertrand. Tu joues au tennis, Jacques?

— Quand il aura digéré... Promenez-vous d'abord... D'ailleurs, il fait trop chaud...

Les fauteuils de rotin, à l'ombre d'un grand parasol orange. L'allée de brique pilée était d'un rouge ardent. Jeanne choisit un fauteuil transatlantique et s'étendit de tout son long, alluma une nouvelle cigarette dont elle lançait les bouffées vers le ciel qui tournait au violet.

— Tu me serviras de la prunelle, Félix...

Pour elle, les dimanches de *la Châtaigne-raie* sentaient la prunelle, dont elle buvait deux ou trois verres après le déjeuner.

Bébé Donge versait le café dans les tasses, en tendait une à chacun.

— Un morceau de sucre, maman?... Et toi, François?... Deux?... De la fine, Félix?...

Cela aurait pu être n'importe quel dimanche. Une heure molle. Des vols de mouches. Des phrases paresseusement échangées. Mᵐᵉ d'Onneville qui parlerait de ses placements.

— Où sont les enfants?... Marthe! Allez voir ce que font les enfants...

Tout à l'heure, les deux frères se dirigeraient vers le tennis et, jusqu'en fin d'après-midi, on entendrait le bruit sec des balles sur les raquettes. Des têtes, parfois, au-dessus de la haie : les promeneurs qui passaient en vélo, car on ne pouvait voir les piétons dont on percevait les voix.

Or, il n'en fut pas ainsi. Il y avait un peu moins d'une heure qu'on avait pris le café quand François se leva et se dirigea vers la maison.

— Où vas-tu? questionna Bébé Donge sans se retourner.

— Je viens...

A mesure qu'il avançait, il accélérait l'allure. On entendit des portes claquer, des bruits dans la salle de bains.

— Il souffre de l'estomac? s'informa Mᵐᵉ d'Onneville.

— Je ne sais pas... D'habitude, il digère tout...

— Depuis quelques minutes, je le trouvais pâle...

— On n'a pourtant rien mangé d'indigeste...

Les enfants passèrent en courant. Quelques minutes s'écoulèrent en silence, puis soudain on entendit la voix de François qui, de la maison où il était, invisible, appelait :

— Félix!

Il y avait une sonorité si étrange dans cette voix que Félix se leva d'un bond et s'éloigna en courant. Mme d'Onneville contempla les fenêtres ouvertes.

— Je me demande ce qu'il a...

— Que pourrait-il avoir? murmura Jeanne toujours étendue, perdue dans la contemplation de la fumée de sa cigarette qui se délayait dans le violet du ciel.

— On dirait qu'on téléphone...

Les bruits arrivaient très nets de la maison. On tournait en effet la manivelle du téléphone.

— Allô!... Mademoiselle, je sais que le bureau est fermé, mais c'est urgent... Voulez-vous me donner le 1 à Ornaie... Le docteur Pinaud, oui... Vous croyez qu'il est à la pêche?... Appelez quand même, voulez-vous... Allô!... Je suis chez le docteur Pinaud?... Ici, *la Châtaigneraie*... Vous dites qu'il est rentré?... Qu'il vienne de toute urgence ici... Peu importe!... Oui, c'est très urgent... Mais non, madame... Qu'il vienne comme il est...

Les trois femmes se regardèrent.

— Tu ne vas pas voir? s'étonna Mme d'Onneville tournée vers Bébé Donge.

Celle-ci se leva et marcha vers la maison. Elle ne resta absente que quelques minutes et, quand elle revint, elle avait son calme habituel.

— Ils sont enfermés tous les deux dans la salle de bains. Ils n'ont pas voulu me laisser entrer. Félix prétend que ce n'est pas grave...

— Mais qu'est-ce qu'il a?

— Je ne sais pas...

Le docteur arrivait, en vélo, vêtu de son complet de toile brune qu'il avait mis pour aller à la pêche. A mesure qu'il avançait dans l'allée rouge, on voyait mieux son étonnement de trouver les trois femmes tranquillement installées sous le parasol.

— Il y a eu un accident?

— Je ne sais pas, docteur... Mon mari est dans la salle de bains... Je vais vous conduire.

La porte s'entrouvrit pour laisser passer le docteur, mais se referma devant Bébé Donge qui resta immobile sur le palier. Exaspérée, Mᵐᵉ d'Onneville s'était levée et marchait de long en large en plein soleil.

— Je ne sais pas ce qu'ils ont tous les deux à ne rien nous dire... Et Bébé?... Que fait Bébé?... Elle ne revient pas non plus!...

— Calme-toi, maman... Tu vas encore avoir des vapeurs... A quoi cela sert-il de t'agiter?

La porte de la salle de bains s'ouvrit une fois encore. Le docteur, en manches de chemise, l'air affairé, commanda à Bébé Donge qu'il trouva debout dans la pénombre :

— Faites monter de l'eau bouillie... le plus possible...

Bébé descendit à la cuisine. Elle portait une robe de mousseline vert pàle. Ses cheveux étaient d'un blond éteint.

— Clo!... Il faudrait monter de l'eau bouillie dans la salle de bains...

— J'ai vu arriver le docteur... Monsieur est malade?

— Je ne sais pas, Clo... Montez toujours de l'eau bouillie...

— Il en faut beaucoup?

— Le docteur a dit le plus possible...

Quand la cuisinière porta les deux brocs d'eau, elle ne fut pas admise dans la salle de bains dont la porte ne fit que s'entrebâiller. Cependant, elle vit un corps étendu à même le carreau, ou plutôt elle ne vit que les jambes et les pieds et elle en fut plus impressionnée que si elle avait aperçu un cadavre.

Il était trois heures. Les enfants, qui ne savaient rien, venaient d'envahir le tennis et on entendait la voix de Jacques qui disait à sa cousine :

— Toi, tu ne joues pas... Tu es trop petite...

Car Jeannie n'avait que six ans. Elle allait sûrement pleurer. Elle viendrait se plaindre à sa mère, qui lui répondrait comme d'habitude :

— Tire ton plan, ma fille!... Cela ne me regarde pas...

Mme d'Onneville, debout, fixait les fenêtres du premier étage.

— Tu ne veux pas me passer mes cigarettes, maman?

A tout autre moment, Mme d'Onneville se serait indignée de voir sa fille, affalée dans un fauteuil transatlantique, lui réclamer, à elle, sa mère, les cigarettes posées sur la table.

Elle lui passa l'étui sans s'en rendre compte. Elle suivait des yeux Bébé qui venait de paraître sur le perron et qui s'avançait de sa démarche habituelle.

— Eh bien?

— Je ne sais pas... A présent, ils sont enfermés tous les trois...

— Tu ne trouves pas ça étrange?

Alors seulement Bébé Donge marqua une légère impatience.

— Qu'est-ce que tu veux que je te dise, maman? Je n'en sais pas plus que toi...

A ce moment précis, Jeanne s'agita dans son fauteuil, essayant de voir sa sœur. Cela surprenait d'entendre la voix de Bébé ainsi haussée d'un ton. Mais Bébé n'était pas dans le champ de son regard et elle n'insista pas. Devant elle, dans le vert de la pelouse, des géraniums d'un rouge sang. Une guêpe bourdonnait. Mme d'Onneville poussait un long soupir d'inquiétude.

Pourquoi les hommes, là-haut, fermaient-ils les fenêtres de la salle de bains? Et, à l'instant où ces fenêtres se refermaient —

c'était Félix qui s'en chargeait — n'avait-on pas entendu la voix de François qui disait :

— Je ne veux absolument pas, docteur...

Les cloches sonnaient à vêpres.

II

Maintenant, il était sûr de ne pas se
tromper. Ce n'avait été qu'une intuition,
soit, mais presque plus tangible qu'une
preuve. Et, au moment même, il n'y avait
pas pris garde! Il était resté dans son
fauteuil de rotin, les yeux mi-clos, le corps
engourdi par le repas et par le soleil!

La netteté de son souvenir était surpre-
nante, comme si, pressentant l'importance
de cette minute dans l'avenir, il eût photo-
graphié la scène.

C'était un effet de contre-jour. François,
dans son fauteuil de jardin, était un peu en
contrebas et la réverbération du soleil sur
la brique rouge de l'allée donnait des tons
chauds à tout ce qu'il voyait.

Sa belle-mère était à gauche, assez près
de lui, de demi-profil, et, sans la regarder, il
gardait sur sa rétine la tache violette de son

écharpe de voile. Un peu plus loin, Jeanne, en blanc, était étendue de tout son long dans le transatlantique.

La table faisait face à François, avec son parasol orange et ses franges. Marthe, qui venait de déposer la cafetière et les tasses, s'éloignait dans la direction de la maison. On entendait ses pas sur la brique pilée.

Quant à Bébé, elle était debout devant la table. C'est elle que François regardait, de ses petits yeux malicieux que tant de gens trouvaient durs. Est-ce parce qu'il ne voulait voir les choses que telles qu'elles sont?

Sa femme, au ridicule surnom de Bébé, par exemple! Elle était de dos. Elle versait le café dans les tasses, autant que François en pouvait juger par la position du bras, car elle cachait ce qui se trouvait devant elle. Il est certain qu'à cet instant elle était gracieuse : une silhouette flexible, un peu nonchalante, que soulignait tout à son avantage la robe vert pâle commandée à Paris.

Au fait, si, à cette minute, François fit attention à sa femme, ce fut à cause de la robe. Il remarqua, en effet, qu'elle était assez transparente. A contre-jour, on voyait nettement les deux fuseaux des jambes et des cuisses et on distinguait l'endroit exact où s'arrêtait le linge.

Les jambes amenèrent l'image des bas de soie ultras-fins que Bébé s'obstinait à porter, fût-ce à la campagne. Et cette femme qui, depuis des mois, n'avait pas eu l'occasion de se dévêtir devant un homme, portait du linge plus raffiné qu'une grande coquette !

Voilà ce qu'il pensa d'abord, simplement, en homme pratique, comme on constate une évidence. Il n'en était ni outré, ni chagrin. Il n'était pas avare.

Sa seconde pensée, amenée par la première, par un souvenir de nudité, fut que Bébé pouvait être gracieuse, jolie de visage, elle n'en avait pas moins un corps fade, sans élan, sans consistance, et sa peau était d'une pâleur peu engageante.

— Un morceau de sucre, maman?...

Au fait, non : avant cela, elle avait déjà prononcé une phrase que François retrouvait dans sa mémoire et qui aurait dû le frapper. Jeanne, étendue comme une odalisque, et qui venait d'allumer une cigarette, avait dit :

— Tu me serviras de la prunelle, Félix?

Félix n'était pas dans le champ du regard de François. Sans doute était-il derrière

31

celui-ci? Logiquement, il aurait dû s'approcher de la table. Or, Bébé était intervenue assez vivement :

— Ne te dérange pas, Félix. Je vais le faire.

Pourquoi, alors qu'elle aimait mieux être servie que servir? Pour que personne ne voie ce qui se passait sur la table! Celle-ci était placée de telle sorte, d'un seul côté des fauteuils groupés, que Bébé n'avait personne devant elle.

C'est un peu après qu'elle avait demandé :

— Un morceau de sucre, maman?...

François n'avait pas tressailli. Il n'avait pas froncé les sourcils. C'était beaucoup plus léger, presque inexistant. Ses prunelles, simplement, avaient légèrement bougé, juste de quoi apercevoir Mᵐᵉ d'Onneville! Maintenant encore, il avait l'impression qu'elle avait entrouvert la bouche, comme quand on est sur le point de faire une remarque et qu'on se ravise en jugeant que cela n'en vaut pas la peine. Si elle avait parlé, elle aurait sans doute dit :

— Tu ne sais pas encore combien de sucres je prends dans mon café, depuis vingt-sept ans que tu es ma fille?

Elle ne le dit pas, peu importe. Mais c'était dans son style.

Vraisemblablement, Bébé avait commencé par remplir les cinq tasses. A *la Châtaigneraie*, on ne se servait que de sucre dont chaque morceau était entouré de papier.

Voilà pourquoi Bébé avait éprouvé le besoin de parler : pour meubler un silence, attirer l'attention ailleurs pendant qu'on fait un geste, à la façon des prestidigitateurs. Est-ce que ses doigts tremblaient un peu? Est-ce qu'elle avait la gorge serrée?

François, qui ne l'avait vue que de dos, ne pouvait pas savoir. En tout cas, dans le creux de cette main que chacun admirait, elle avait certainement un petit morceau de papier qui contenait de la poudre blanche.

— Un morceau de sucre, maman?... Et toi, François, deux?...

Bien entendu, elle savait combien de morceaux de sucre prenait son mari. Mais, tournant le dos à tout le monde, elle avait besoin de les sentir chacun à sa place, de les entendre pendant qu'elle retirait le papier qui enveloppait les deux sucres et qu'en même temps, de l'autre papier, elle laissait tomber la poudre blanche.

La preuve, c'est qu'ensuite elle n'avait

rien demandé à sa sœur, ni à Félix. Une preuve encore ; en y repensant bien on en eût trouvé cent : elle oublia de verser la prunelle de Jeanne que, pourtant, elle avait empêché Félix de servir.

Eh bien ! si, pendant que ces faits se déroulaient, François ne les avait pas envisagés dans le détail et avec toute leur signification, il avait néanmoins senti quelque chose d'anormal, d'équivoque, voire de menaçant.

Pourquoi n'avait-il pas réagi ? Sans doute parce qu'il en est toujours ainsi de ces sortes d'avertissements.

Même quand il avait bu son café et qu'il lui avait trouvé mauvais goût... Il avait failli le faire remarquer. Pourquoi s'en était-il abstenu ? Parce qu'il avait l'habitude de garder ses réflexions pour lui. Parce qu'il n'y avait là personne, à part son frère Félix, avec qui il se sentît le moindre point commun.

Il ne se leurrait pas. C'était un homme pratique, sans imagination. Il n'était pas plus chez lui à *la Châtaigneraie* que dans une chambre d'hôtel et il n'y avait là, à son image, que le nez de son fils. Encore depuis quelque temps le gamin semblait-il effarouché par son père !

34

Quand elle s'était assise enfin, Bébé devait se sentir soulagée, puisqu'il avait bu sa tasse sans mot dire.

Pas la moindre idée d'empoisonnement. C'était le dimanche après-midi familial avec tout son vide somptueux et ses immenses champs de silence que chacun, enfoncé dans son fauteuil, traverse à son gré. Et celui qui ouvrait la bouche le premier semblait le premier arrivé d'un voyage sans histoire.

François ne dormait pas, mais il n'était plus tout à fait lucide quand un malaise naquit quelque part en lui et il en suivit avec étonnement le chemin à travers son corps.

— Indigestion, pensa-t-il dès l'abord. C'est le café. Faudra-t-il me déranger pour aller rendre?

Cette perspective l'ennuyait et, presque aussitôt après, une sorte de frisson lui pinçait la nuque en même temps que ses tempes commençaient à battre.

Il n'avait jamais été malade. Était-il resté trop longtemps au soleil, le matin, tandis qu'il roulait le tennis?

Cela gagnait. Il était moite. Pour la première fois de sa vie, il croyait sentir nettement sa moelle épinière dans sa colonne vertébrale.

Il n'aimait pas être dérangé par les autres et il ne les dérangeait pas volontiers. Il se leva, sans rien dire, avec la seule peur de ne pas aller jusqu'au bout. Déjà, pendant qu'il traversait le terrain découvert dont le rouge lui paraissait plus agressif que jamais, il se disait :

— Ce n'est pas possible...

Symptômes de l'empoisonnement par l'arsenic. Il les connaissait. Il était chimiste. Dans ce cas...

Il heurta presque, dans la salle à manger, Marthe qui rangeait la vaisselle dans le dressoir. Il ne lui dit rien, mais il vit son étonnement en le regardant passer. Il fallait faire vite. Dans la salle de bains, il eut juste le temps d'arracher son faux col, son veston, de s'enfoncer un doigt dans la bouche.

Il vomit un peu et c'était brûlant. Il vomissait sur le carreau, peu importait. Puis, effrayé du froid qui le raidissait, il cria de la fenêtre :

— Félix !...

Il avait peur de mourir. Il souffrait. Il savait qu'il avait encore de terribles efforts à accomplir, et cependant il ne pouvait s'empêcher de penser :

— Elle l'a donc fait...

Bébé n'avait jamais menacé de le tuer. Il ne s'était jamais dit qu'elle l'empoisonnerait un jour. Pourtant, il était à peine étonné. Il n'était pas indigné non plus. A vrai dire, il n'en voulait pas à sa femme.

— Qu'est-ce que tu as?

— Appelle d'abord le docteur... De toute urgence...

Pauvre Félix! Il aurait mieux aimé souffrir dans sa chair que voir souffrir son frère.

— Il va venir?... Bon... Va me chercher du lait dans le frigidaire... Ne dis rien aux servantes...

Il avait le temps d'être content de lui! Est-ce qu'il ne pensait pas à tout? Est-ce qu'il ne faisait pas le nécessaire, sans perdre son sang-froid? Et les trois femmes étaient toujours dehors, autour du parasol orange!

Qu'est-ce que Bébé pensait en regardant la fenêtre ouverte?

Ainsi donc, c'était cela... Pendant des années... Et personne n'avait rien soupçonné, pas même lui!... Il s'était trompé comme les autres, ou plutôt il n'avait rien vu...

Ce n'était pas vrai. Ici encore, comme pour les morceaux de sucre, n'avait-il pas senti parfois comme un avertissement?... Il avait préféré ne pas comprendre et...

Il ne perdit pas connaissance, mais tout s'embrouilla néanmoins, le docteur, Félix effrayé, le lavage d'estomac, le froid des carreaux de la salle de bains et ses bras qu'on agitait en cadence, quelqu'un qui, lui semblait-il, était assis sur sa poitrine.

Le docteur disait à Félix :

— Votre frère a été empoisonné par une forte dose d'arsenic. Il a la chance de...

— C'est impossible! Qui aurait pu?... s'écriait Félix. Nous avons passé la journée en famille... Il n'est venu personne...

François se faisait des illusions sur son propre compte, car il crut de bonne foi qu'il parvenait à amener sur ses lèvres un sourire ironique.

— Il faut téléphoner pour une ambulance... A quelle clinique dois-je le faire conduire?...

Des crampes le tenaillaient. Du feu coulait dans ses entrailles et néanmoins, grimaçant, il s'efforça de prononcer :

— Pas de clinique...

A cause du docteur Jalibert. Sa clinique n'était pas terminée. Si François allait ailleurs, Jalibert lui en voudrait, car ce serait se mettre entre les mains d'un de ses confrères. Les gens, en ville, ne comprendraient pas.

— A l'hôpital Saint-Jean...

Toujours la voix du docteur, qui était un brave homme consciencieux :

— Je suis obligé d'avertir le Parquet... Un dimanche, le Palais de Justice sera fermé... Mais je connais le substitut et je vais... C'est le 18-80, je pense... M. Donge, demandez-moi donc le 18-80...

C'est alors que François avait dit ou avait cru dire :

— Je ne veux absolument pas, docteur...

*

Une famille venait de passer derrière la barrière. Le père portait un gamin sur ses épaules. La mère en traînait un autre à la remorque. Cela sentait la poussière du chemin, la sueur et le jambon tiédi des sandwiches, le vin coupé d'eau des gourdes.

Les cloches sonnaient à nouveau, peut-être la fin des vêpres, quand la voiture parut, blanche avec une croix rouge et, sur le côté, de petites vitres dépolies. La barrière était ouverte. Sans s'inquiéter des trois femmes, l'auto gagna le perron et un infirmier en blouse sauta sur le sol.

Ce n'était rien et pourtant cela prenait à

la gorge. C'était le drame qui entrait soudain dans la maison d'une façon tangible, à cause de la forme d'une auto, de sa couleur, d'un insigne et d'un uniforme.

La poitrine opulente de Mme d'Onneville se souleva. La mère regarda sévèrement sa fille qui n'avait pas bronché.

— On dirait que tu ne t'inquiètes pas de ce qui se passe...

Le calme de Bébé l'épouvantait. Elle la regardait avec de gros yeux comme si elle ne l'eût jamais vue.

— Il y a longtemps qu'entre François et moi il n'y a plus rien de commun...

Ce fut au tour de Jeanne d'observer sa sœur. Elle le fit d'un coup d'œil plus aigu, plus pénétrant. Au point que Bébé en fut gênée. Puis Jeanne se précipita vers le perron en déclarant :

— Je vais voir ce qu'il en est...

L'infirmier et le docteur soutenaient François qui était livide et dont la tête venait de retomber sur l'épaule.

— Félix... appela Jeanne en saisissant le bras de son mari.

— Laisse-moi...

— Qu'est-ce qu'il a?

— Tu veux le savoir?... Dis?... Tu veux le savoir?...

Félix hurlait en essayant de ne pas éclater en sanglots, de ne pas frapper sa femme, d'aider les deux autres à hisser François dans la voiture.

— Ta charogne de sœur l'a empoisonné...

Jamais, de sa vie, il n'avait prononcé un aussi gros mot. Il avait toutes les formes de la brutalité en horreur.

— Félix... Qu'est-ce que tu dis?... Écoute...

Bébé Donge n'était pas à cinq pas, toute droite, du soleil dans ses cheveux blonds qu'elle blondissait encore artificiellement, aérienne dans sa robe verte, une main pendante, une autre sur sa poitrine aux petits seins peu fermes. Elle regardait.

— Bébé!... Tu as entendu ce que Félix...

— Jeanne... Bébé...

C'était Mme d'Onneville qui avait entendu, elle aussi. Toute sa masse vaporeuse vacillait. Dans quelques instants, elle allait s'écrouler, mais elle tenait bon le plus longtemps possible, car elle sentait que personne ne s'occuperait d'elle.

Félix était monté dans la voiture.

— Félix!... Laisse-moi t'accompagner...

Il la regarda aussi durement, aussi haineusement que si elle eût été Bébé ou que si

41

elle eût essayé, comme sa sœur l'avait fait, de l'empoisonner.

La voiture démarrait. Le docteur Pinaud était monté sur le siège. Il fit signe au chauffeur de stopper un instant, se pencha vers Jeanne.

— Il vaudrait mieux surveiller votre sœur en attendant que...

On n'entendit pas la suite. Le chauffeur, croyant que c'était fini, avait remis sa voiture en marche et prenait le virage à la corde.

Quand Jeanne regarda à nouveau autour d'elle avec des yeux capables de voir, tout avait changé dans le jardin. Mme d'Onneville s'était affalée dans un fauteuil d'osier et pleurait doucement en tapotant son visage avec un mouchoir de dentelle.

Les enfants étaient accourus du tennis. Jacques s'était arrêté net à quelques pas de sa mère. Avait-il entendu quelque chose? Était-ce la vue de la voiture d'ambulance qui le figeait de la sorte?

— Maman, qu'est-ce qui est arrivé à tonton?

C'était Bertrand, qui tiraillait la robe de sa mère, et Jeanne s'était assise dans l'herbe.

— Marthe!... appelait Bébé Donge. Marthe!... Eh bien! où êtes-vous?...

— Me voici, madame...

Elle s'essuyait les yeux du coin de son tablier. Elle ne savait probablement rien, mais elle pleurait de confiance, puisqu'une voiture d'ambulance venait de quitter la maison.

— Vous vous occuperez de Jacques... Allez le promener jusqu'aux Quatre-Sapins...

— Je ne veux pas... déclara le gamin.

— Vous avez entendu, Marthe?

— Oui, madame...

Et Bébé Donge, toujours si pareille à elle-même que c'en était hallucinant, marchait vers le perron.

— Eugénie...

C'était la première fois depuis des années et des années que Jeanne appelait sa sœur par son prénom véritable car, comme sa mère, Bébé s'appelait Eugénie.

— Qu'est-ce que tu veux?

— J'ai besoin de te parler...

— Et moi je n'ai rien à te dire...

Elle montait lentement les marches. Était-elle en réalité plus bouleversée qu'elle ne voulait le paraître et ses jambes tremblaient-elles sous la fine robe verte? Jeanne la suivait. Elle se retrouvèrent ensemble dans la salle à manger où les persiennes étaient closes pendant les heures chaudes de la journée.

— Il faut du moins que tu me répondes...

Bébé se tourna vers elle avec lassitude. Déjà son regard exprimait cette sérénité tragique de ceux qui savent que, désormais, personne ne les comprendra plus.

— Que veux-tu savoir?

— Est-ce vrai?

— Que j'ai voulu l'empoisonner?

Elle prononça le mot simplement, sans dégoût, sans horreur.

— C'est lui qui l'a dit, n'est-ce pas?

Là, il y eut une intention que Jeanne perçut, mais qu'elle ne parvint pas à démêler. Elle essaya, plus tard, sans succès. Le *Lui* avait une majuscule. Bébé ne parlait pas d'un homme comme les autres, pas même de son mari. Elle parlait de *Lui*.

Et elle ne *Lui* en voulait pas de l'avoir accusée. Jeanne se trompait peut-être. Elle ne se croyait pas particulièrement psychologue. Cette satisfaction, cependant... Oui, Bébé semblait satisfaite que François l'eût accusée de tentative d'empoisonnement. Elle attendait la réponse de sa sœur, un pied déjà posé sur la première marche de

44

l'escalier. Les souliers en lézard étaient assortis à la robe, d'un vert plus soutenu.

— C'est vrai?

— Pourquoi ne serait-ce pas vrai?

Maintenant, jugeant l'entretien terminé, elle montait les marches sans se presser, en tenant devant elle, d'un geste féminin, sa jupe mi-longue et très ample.

— Bébé!...

Elle montait toujours.

— Bébé, j'espère que tu ne vas pas...

Elle était déjà très haut, la tête dans la pénombre. Elle marqua un temps d'arrêt, se retourna.

— Ne crains rien, ma pauvre Jeanne... Si on me demande, je suis dans ma chambre...

Cette chambre était tendue de satin et ressemblait à l'intérieur d'une luxueuse boîte à bonbons. Machinalement, Bébé se regarda dans le miroir à trois faces où elle se vit tout entière et, d'un mouvement qui lui était familier, elle releva un peu ses cheveux, découvrant des aisselles épilées. Une fente laissée exprès entre les contrevents ne livrait passage qu'à un rayon de soleil et celui-ci dessinait un triangle sur un petit secrétaire laqué. Une pendulette de chevet marquait quatre heures dix minutes.

Bébé Donge s'assit devant le secrétaire

et, comme une personne un peu lasse, l'ouvrit, attira à elle un bloc de papier bleuté.

On eût dit qu'elle avait à écrire une lettre difficile. Le bout du porte-plume sur le menton, elle regardait vaguement les contrevents derrière lesquels des mouches bruissaient dans le soleil.

Enfin elle écrivit, d'une longue écriture penchée de pensionnaire :

« 1. Ne pas oublier sa *flétase* chaque matin. Augmenter progressivement le nombre de gouttes dès les premières fraîcheurs.

« 2. Un jour sur trois, remplacer le chocolat du petit déjeuner par du porridge, mais ne pas le sucrer autant que la dernière fois (trois morceaux suffisent).

« 3. Ne plus lui mettre ses chaussures en daim qui sont trop poreuses. Éviter qu'il marche dans la rosée. Bien veiller à cela, surtout en septembre. Ne pas non plus le laisser sortir par temps de brouillard.

« 4. Éviter que des journaux traînent dans la maison, fût-ce un journal ayant servi à emballer des victuailles. Ne pas parler bas dans les coins ou derrière les portes. Ne pas prendre un air consterné.

« 5. Dans l'armoire de gauche de sa chambre, il y a... »

Parfois elle levait la tête et écoutait. A certain moment, alors qu'elle n'avait pas entendu monter, la voix de sa sœur, sur le palier, fit timidement :

— Tu es là?

— Laisse-moi... J'ai à faire...

Jeanne attendit encore un peu, dut entendre la plume courir sur le papier à gros grain et redescendit.

« ... 12. Veiller à ce que Clo, qui est bavarde, n'aille pas au village faire son marché. Tout commander par téléphone. Recevoir vous-même les fournisseurs et *jamais* en présence de Jacques... »

Une auto... Non, ce n'était pas encore la bonne... Celle-ci passait sur la grand-route, sans s'arrêter à *la Châtaigneraie*. Le vent devait tourner avec le déclin du soleil, car on entendait par instants le pick-up de la guinguette du bas d'Ornaie...

Le rayon de soleil, sur le secrétaire, était plus sombre, comme plus gras.

— Mais non, maman, elle n'est pas folle... Il y a certainement des choses que nous ne savons pas... Bébé a toujours été secrète...

— Elle n'a jamais eu de santé...

— Ce n'est pas une raison... Si tu ne l'avais pas tant gâtée...

— Tais-toi, Jeanne... Ce n'est pas un jour comme aujourd'hui qu'il faut... Tu crois vraiment qu'elle a... Mais alors...

Et Mme d'Onneville retrouvait son énergie pour se redresser et regarder vers la barrière blanche restée ouverte.

— On va venir l'arrêter... Ce n'est pas possible... Pense à la honte...

— Calme-toi, maman... Est-ce que j'en peux, moi?

— On ne me fera pas croire que tout à l'heure, ici, en ma présence, ma fille...

— Mais si, maman...

— Alors, tu te mets aussi contre elle?

— Mais non, maman...

— Il est vrai que tu as épousé un Donge!... Pour ma part, je n'oserai pas reparaître devant les gens... Demain, ce sera certainement dans le journal...

— Après-demain, parce que nous sommes dimanche et que...

Ce fut presque aussi impressionnant de voir arriver un taxi de la ville que de voir surgir une voiture d'ambulance. Il dépassa d'abord la barrière. Le docteur Pinaud, qui était à l'intérieur, se pencha pour avertir le chauffeur. Celui-ci ne crut pas pouvoir pénétrer dans la propriété, fit une courte marche arrière et s'arrêta.

L'hôpital était un beau bâtiment du XVIe siècle, avec de hauts toits pointus, en tuile que le temps avait rendue multi-colore, des murs blancs, de vastes fenêtres à petits carreaux et une cour intérieure ombragée de platanes. Des vieillards en uniforme bleuâtre erraient lentement de banc en banc, qui un pansement à la jambe et une canne à la main, qui la tête bandée, qui encore soutenu par une bonne sœur en cornette.

On avait transporté François dans la salle d'opération, pour plus de facilité. Le docteur Levert, alerté téléphoniquement, était là avant lui, déjà ganté de caoutchouc. Tout était prêt pour le tubage et les autres soins.

François s'était juré de ne pas gémir. Deux piqûres de morphine ne lui avaient pas enlevé toute faculté de penser et il gardait la honte d'être nu comme un cadavre devant une jeune infirmière. Il aurait bien voulu rassurer Félix qui s'affo-lait et que le médecin menaçait de faire sortir.

Il avait les yeux fermés quand il vit le bout de papier. Il le découvrit littéralement. Il n'était plus à l'hôpital Saint-Jean, près du canal, mais dans le parc de *la Châtaigneraie* et le rouge de l'allée formait une immense flaque ensoleillée. Les pieds de la table de jardin y dessinaient leur ombre. Et là, entre deux ombres, il y avait un tout petit bout de papier froissé. *Il l'avait vu.* La preuve, c'est qu'il le revoyait et il n'avait pas le délire. Où Bébé l'aurait-elle mis après avoir laissé tomber le poison dans la tasse? Elle n'avait pas de poche à sa robe. Elle n'avait pas de sac avec elle. Elle l'avait roulé en boule dans sa main moite et elle l'avait laissé tomber, se disant qu'un morceau de papier ne paraît pas dans un jardin.

Est-ce que le papier y était encore? Est-ce qu'elle était venue le reprendre pour le brûler?

— Essayez de rester un instant immobile...

Il serra les dents, mais ne put retenir un cri dont il se repentit. En même temps, Félix poussait un soupir.

*

— Mme Donge est chez elle?

50

Il était très grand, très maigre, vêtu d'un complet gris en méchante laine, mal coupé, qui sortait visiblement d'un magasin de confection. Il tenait son chapeau à la main alors que le docteur gardait le sien sur la tête.

— C'est ma sœur que vous voulez voir? Elle est dans sa chambre. Si vous le désirez, je vais l'avertir...

— Annoncez-lui l'inspecteur Janvier, de la brigade mobile...

C'était dimanche. Le commissaire participait, à la ville voisine, à un championnat de billard. Le substitut, retenu chez lui par les couches très prochaines de sa femme, donnait coup de téléphone sur coup de téléphone.

— Tu t'es enfermée?

— Mais non... Tourne le bouton...

C'était vrai. Jeanne, dans sa fièvre, tournait le bouton de la porte en sens inverse. Bébé Donge, toujours à sa place, relisait ce qu'elle avait écrit.

— Combien sont-ils?

— Il n'y en a qu'un...

— Il veut m'emmener tout de suite?

— Je ne sais pas...

— Fais monter Marthe, veux-tu?...

— Ma sœur descend dans un instant...

Le docteur parlait bas à l'inspecteur que le parquet trop bien ciré de la salle à manger semblait impressionner. Jeanne remarqua qu'il y avait une pièce dite invisible à l'empeigne de sa chaussure.

— Prenez ma valise en porc, Marthe... Non, plutôt la valise *avion,* qui est plus légère... Vous y mettrez du linge pour un mois, deux robes de chambre, mes... Qu'est-ce que vous avez à pleurer?

— Rien, madame...

— Comme robes...

Elle ouvrit une armoire pour désigner les robes qu'il lui fallait.

— Je vous ai laissé des instructions pour le reste... Écrivez-moi tous les deux jours pour me dire ce qui se passe ici... N'ayez pas peur de noter les moindres détails... Où avez-vous laissé M. Jacques?

— Il est avec son cousin et sa cousine...

— Que lui avez-vous dit?

— Que monsieur avait eu un accident et que ce n'était pas grave...

— Qu'est-ce qu'ils font, à présent?

— Jacques leur montre comment il a pris le poisson ce matin...

— Je descends... Dès que la valise sera prête, vous me l'apporterez...

La vue du lit lui donna l'envie de s'étendre, ne fût-ce que quelques minutes.

— Marthe... A propos... J'allais oublier... Si monsieur revenait avant moi...

La femme de chambre éclata en sanglots.

— Il n'y a donc pas moyen de vous dire deux mots?... Veillez à ce que, pour Jacques, il n'y ait rien de changé... Suivez mes instructions... Vous comprenez?... Il y a des détails auxquels monsieur n'attache aucune importance...

*

— Je m'excuse de vous avoir fait attendre, monsieur le Commissaire...

— Inspecteur... Je suis venu en attendant qu'on puisse réunir le Parquet...

Il tira un oignon d'argent de sa poche.

— Ils ne tarderont plus... En attendant, si vous le permettez, je pourrais procéder à un premier interrogatoire afin...

— J'attends dehors? questionna le docteur, toujours en costume de pêche, et dont

53

les souliers cloutés avaient marqué le parquet.

— Si vous le voulez bien... Ces messieurs
auront besoin de votre témoignage...

Et, de sa poche, le long inspecteur avait
tiré un petit carnet ridicule dont il ne savait
que faire.

— Vous serez mieux pour écrire dans le
bureau de mon mari... Donnez-vous la peine
de me suivre...

Est-ce que le mécanisme n'aurait pas pu
s'arrêter soudain et ne serait-elle pas alors
tombée raide sur le plancher? Dans ce cas,
sans doute, il n'y aurait plus eu de Bébé
Donge.

III

Après les peurs sordides, les appels, les soins, les sueurs de la nuit, après le désordre écœurant et les puanteurs des premières heures du jour, c'était bon, c'était apaisant, dans un hôpital enfin calmé, d'être étendu dans du propre, avec rien que du propre autour de soi, des draps blancs, un carrelage sans souillures, les fioles bien en ordre sur la tablette de verre.

Au va-et-vient bruyant des infirmiers, aux cris des malades dont on sondait les plaies avaient succédé, dans les couloirs, le pas feutré des bonnes sœurs et le cliquetis de leur chapelet.

François se sentait vide comme il ne l'avait jamais été, vide et propre à la façon d'un animal que le boucher vient de débarrasser de ses entrailles, de toutes ses parties molles, et dont il a lavé et gratté soigneusement la peau.

— On peut entrer?... Je viens de voir le docteur Levert qui m'annonce que vous êtes sauvé...

C'était sœur Adonie qui entrait et qui, tout en souriant, venait se rendre compte de l'état de son malade. Elle était très petite, boulotte, et elle avait un accent de terroir prononcé, l'accent du Cantal, autant que Donge en pouvait juger. Il la regardait comme il regardait toutes choses, sans se mettre en frais pour elle, sans éprouver le besoin de sourire, et sœur Adonie devait s'y tromper comme tant d'autres s'étaient trompés.

Sans doute le crut-elle désespéré par le geste de sa femme, ou encore pensa-t-elle qu'il n'aimait pas les religieuses? Elle s'efforçait de l'apprivoiser.

— Voulez-vous que j'entrouvre la fenêtre? De votre lit, vous apercevrez un coin de jardin. On vous a donné la meilleure chambre, le 6... Si bien que, pour nous, vous êtes Monsieur Six... Car nous ne prononçons jamais le nom de nos malades... Tenez, le 3, qui est parti hier, est resté plusieurs mois ici et je n'ai jamais su son nom...

Brave sœur Adonie! Elle faisait tout ce qu'elle pouvait et elle ne se doutait pas que, s'il la regardait de la sorte, c'est que François, malgré lui, la voyait sans sa robe de bure grise de l'ordre de Saint-Joseph.

Il ne l'avait pas fait exprès. Dès qu'elle était entrée, il s'était demandé comment elle serait sans cet uniforme qui l'idéalisait, sans sa cornette, sans ce visage rose et reposé : une paysanne courtaude, aux cheveux rares noués en chignon, au ventre en avant sous le tablier de toile bleue, à la jupe trop courte sur des bas de laine noire...

Il l'évoquait les mains aux hanches, sur le seuil d'une bicoque de campagne, parmi les poules et les oies.

Et sœur Adonie, le voyant si indifférent à sa présence réelle, se méprenait de plus en plus.

— Mon pauvre monsieur... Il ne faut pas trop vous hâter de la juger... Il ne faut pas lui en vouloir... Si vous saviez ce qui se passe parfois dans la tête des femmes!... Tenez, nous en avons eu une, dans la chambre voisine... Elle avait tenté de se tuer en se jetant par la fenêtre... Elle prétendait qu'elle était une criminelle, qu'elle avait étouffé son enfant, une nuit qu'il criait... Eh bien! vous le croirez si vous voulez... Son enfant était mort en naissant... Elle ne l'avait jamais vu... Et c'est plusieurs mois plus tard, alors que, pendant ce temps, elle avait paru normale, qu'elle s'était figuré, un beau matin, en s'éveillant, avoir commis son crime...

— Elle est guérie? demanda-t-il tranquillement.

— Elle a un autre enfant... Elle vient parfois nous voir, quand elle le promène dans le quartier... Chut!... Je crois que j'entends des pas... Ce doit être quelqu'un pour vous...

— C'est mon frère! affirma-t-il.

— Le pauvre garçon! Il a passé toute la nuit dans les couloirs. En principe, c'est interdit, mais le docteur a eu pitié de lui... Il n'est parti qu'à six heures, quand on lui a affirmé que vous étiez hors de danger... Donnez-moi votre poignet...

Elle prit son pouls, parut satisfaite.

— Je vais le laisser entrer, mais il ne faut pas qu'il reste plus de quelques minutes et je veux que vous me promettiez d'être sage...

— Je vous le promets, dit-il en souriant enfin.

Félix n'avait pas dormi un seul instant. A six heures, comme sœur Adonie l'avait dit, on l'avait presque obligé à quitter l'hôpital et il était allé prendre un bain, se raser, changer de complet. Déjà, il accourait. Il était là, debout au fond du couloir, impatient, crispé d'avoir à attendre comme un étranger la permission de voir son frère François.

— Venez... Cinq minutes, pas plus!... Et ne lui dites rien qui puisse l'agiter...

— Il est calme?

— Je ne sais pas... Ce n'est pas un malade comme les autres...

Les deux frères ne se serrèrent pas la main. Entre eux, c'était inutile.

— Comment te sens-tu?

Un battement de paupières pour répondre que tout allait bien. Puis enfin la question que Félix attendait :

— On l'a arrêtée?

— Dès hier soir... Fachot est venu à *la Châtaigneraie*... Je craignais que ce fût gênant... Mais *elle* a été très bien...

Le substitut Fachot était de leurs amis et, presque chaque semaine, ils se retrouvaient à un bridge.

— C'était lui le plus ennuyé... Il bégayait... Tu sais comment il est, empêtré de ses grands bras et cherchant où poser son chapeau...

— Jacques?

— On l'avait éloigné... Jeanne est restée à *la Châtaigneraie* avec les enfants...

Félix mentait. François le sentait. Cependant il fut charitable et fit semblant de ne pas s'en apercevoir. Qu'est-ce qu'on lui cachait?

Presque rien. Un tout petit détail. C'était vrai que les choses s'étaient fort bien passées. La descente du Parquet n'avait été, en somme, qu'une formalité. Fachot était venu dans sa propre voiture, avec son greffier et le médecin légiste. Le juge d'instruction — un nouveau dans la ville — suivait en taxi, car il n'avait pas d'auto. Ces messieurs s'étaient attendus devant la barrière et s'étaient concertés avant de s'avancer dans le parc.

Tout de suite, Bébé Donge, qui avait mis un chapeau, un manteau et des gants, et dont la valise était déjà prête sur une marche du perron, était allée au-devant d'eux.

— Bonsoir, monsieur Fachot... (D'habitude, elle disait Fachot tout court, car ils étaient assez intimes.) ...Je m'excuse de vous déranger... Ma sœur et maman sont ici avec les enfants... Je crois que le plus simple serait que nous partions tout de suite... Je ne nie rien... J'ai essayé d'empoisonner François avec de l'arsenic... Tenez!... J'aperçois d'ici le papier qui l'enveloppait...

Tranquillement, elle avait marché vers la table à parasol et elle avait ramassé, sur la brique pilée que le soleil couchant assombrissait, un tout petit morceau de papier de soie roulé en boule.

— Je pense que vous pourriez remettre à demain l'interrogatoire de ma mère, de ma sœur et des domestiques...

Conciliabule. L'inspecteur de police voulut être aimable.

— J'ai déjà interrogé Mme Donge, intervint-il. Je vous mettrai le procès-verbal au net dès ce soir...

— Vous avez un taxi? demanda Fachot à l'inspecteur. Vous pouvez vous charger de Mme Donge?

On crut simplement, à cause des voitures arrêtées, qu'il y avait un cocktail à *la Châtaigneraie,* comme cela arrivait assez souvent.

C'était déjà fini. Il n'y avait plus qu'à gagner les autos.

Personne, à Ornaie, ne soupçonna le drame.

— Vous prendrez ma valise, Marthe?

La première, elle s'avançait vers la barrière quand Jacques était accouru, une

61

mèche sur le front. On avait bien recommandé de ne rien lui dire. Sa tante devait l'occuper, ainsi que les autres enfants. N'empêche qu'il questionna, en regardant sa mère avec un étonnement respectueux :

— C'est vrai que tu vas en prison?

Il était plus intéressé qu'effrayé. Elle lui sourit, se pencha pour l'embrasser.

— Je pourrai aller te voir?

— Mais oui, Jacques... Si tu es sage...

— Jacques! Jacques!... Où es-tu?... criait Jeanne alarmée.

— Va vite retrouver tante Jeanne... Et promets-moi de ne plus aller pêcher...

C'était tout. Elle avait pénétré dans le taxi et ces messieurs, avant de monter dans les deux autres voitures, l'avaient saluée du chapeau.

Félix était venu un peu plus tard, en auto, lui aussi. Il était sous pression. Le cas de François était encore douteux. En entrant dans la villa, où sa belle-mère et sa femme avaient les yeux rouges, il avait questionné durement :

— Où est-elle?

Les enfants mangeaient. Jeanne s'était levée et lui avait dit avec une autorité calme :

— Viens au jardin...

Elle connaissait ces yeux-là, et le tremblement convulsif des lèvres.

— Écoute, Félix... Il vaut mieux que nous ne parlions pas de ces choses maintenant... Je ne sais pas ce qui s'est passé dans le cerveau de ma sœur... Je me demande si elle n'est pas devenue folle tout à coup... Bébé n'a jamais été tout à fait comme une autre... Tu connais l'affection que j'ai pour François... Retourne près de lui... Couche chez nous pendant quelques jours... Moi, je crois qu'il vaut mieux que je reste ici avec les enfants...

Elle l'avait regardé avec plus de douceur.

— Ce sera mieux ainsi, n'est-ce pas?

Elle aurait aimé l'embrasser, mais ce n'était pas encore le moment.

— Va!... Dis à François que je m'occuperai de Jacques avec Marthe... Bonsoir, Félix...

Une heure plus tard, à peu près, Mme d'Onneville téléphonait pour appeler un taxi. *La Châtaigneraie* l'oppressait, prétendait-elle. Elle ne pouvait penser à rien d'autre qu'à cet empoisonnement et elle n'en dormirait pas de la nuit.

— Sans compter que je n'ai pas mes objets de toilette...

Elle partit, arriva chez elle, dans une des

plus belles maisons de la ville, où elle occupait un étage de huit pièces.

— Nicole... Nous partons demain matin pour Nice...

— Bien, madame...

Nicole était un poison et les deux femmes se disputaient comme des filles du même âge, bien que la petite bonne n'eût que dix-neuf ans.

— Est-ce que Madame a pensé que son manteau de laine blanche est encore au teinturier?

— Tu iras le chercher demain à la première heure.

— Et s'il n'est pas fait?

— Tu le prendras tel qu'il est... Aide-moi à commencer les bagages...

Si bien que, pour Mme d'Onneville, la journée dominicale se termina dans un grand déballage de robes et de lingerie.

— Madame ne craint pas qu'il fasse trop chaud à Nice en cette saison?

— C'est à cause du garçon boucher que tu dis ça, n'est-ce pas? Garçon boucher ou pas garçon boucher, tu viendras à Nice, ma fille...

Le lendemain matin, elle rédigea un télégramme pour Mme Berthollat qui tenait une pension sur la Promenade des Anglais

et chez qui elle séjournait quelques
semaines chaque année.

*

Félix, qui avait les nerfs d'autant plus à
nu qu'il n'avait pas dormi, disait en arpen-
tant la petite chambre :

— Je me demande pourquoi elle a fait
ça... Je cherche en vain à comprendre... A
moins...

Et François, toujours calme, le regardait
à peu près comme il regardait tout à l'heure
sœur Adonie.

— A moins?...

— Tu sais ce que je veux dire... Si elle a
appris que Lulu Jalibert...

Félix rougissait. Tout était commun
entre les deux frères. Ensemble ils travaillaient. Ensemble ils avaient monté les
affaires que dans la ville on appelait les
affaires Donge. Ensemble ils s'étaient
mariés et ils avaient épousé les deux sœurs.
Ensemble enfin, et à fonds communs, ils
avaient transformé *la Châtaigneraie* où les
deux ménages se relayaient pendant les
mois d'été. Or, il fallait une catastrophe
pour que Félix osàt prononcer d'une cer-

taine manière le nom de Lulu Jalibert qui,
au su de presque toute la ville, était la
maîtresse de François.

Celui-ci, sans la moindre émotion, murmurait :

— Bébé n'est pas jalouse de Lulu Jalibert...

Félix tressaillit. Il mit plus de vivacité
qu'il n'aurait voulu à se tourner vers son
frère. La voix de celui-ci l'avait frappé, son
calme, son assurance.

— Elle savait?

— Depuis longtemps...

— Tu le lui avais dit?

Une grimace brouilla le visage de François. La flèche de feu venait à nouveau de le
traverser de part en part, annonçant une
hémorragie.

— C'était trop compliqué... balbutia-t-il
pourtant. Je te demande pardon. Appelle
l'infirmière, veux-tu?...

— Je peux rester?

Et François n'eut que la force de faire
signe que non.

Il retombait à nouveau dans les douleurs
et dans les soins. L'accalmie avait été
courte. Après l'infirmier, le docteur. Une
piqûre et un apaisement relatif. Levert

avait quelque chose à dire et ne savait comment s'y prendre.

— Je profite d'un moment où vous ne souffrez pas pour aborder un sujet délicat... J'aurais préféré ne pas le faire... J'ai reçu ce matin la visite de mon confrère Jalibert... Il est au courant de votre... de votre accident... Il se met à votre entière disposition... Il m'a offert de me seconder si besoin était... Enfin, au cas où vous préféreriez entrer en clinique...

— Je vous remercie...

Rien d'autre. François avait entendu, certes. Il avait compris le sens des mots. Mais cela ne l'intéressait pas. Au moment même, il était très loin.

C'était pourtant un homme positif. Tout le monde était d'accord pour le juger ainsi. Certains lui reprochaient d'être trop positif, de manquer d'imagination et de sensibilité.

En quelques années, de la petite tannerie de son père, au bout de la ville, là où les berges de la rivière ne sont plus que des talus herbeux hantés par les pêcheurs à la ligne, il avait fait le point de départ de dix affaires éparpillées dans le département et qui occupaient des centaines d'ouvriers et d'ouvrières.

Des affaires aussi diverses que possible en

apparence et dont, seul peut-être, avec
Félix, il connaissait les liens logiques : la
tannerie l'entraînait à acheter des peaux
dans les campagnes; les peaux l'obligeaient
à s'occuper des bêtes; utiliser la caséine
jusque-là considérée comme rebut et monter une fabrique de matières plastiques. On
s'était étonné de le voir confectionner des
gobelets, des cuillers à salade, des dés à
coudre, et jusqu'à des boîtes à poudre.

Pour avoir plus de caséine, il fallait
traiter plus de lait. Il avait fait venir un
spécialiste des Pays-Bas, et un an après il
fondait, en bordure de la ville, une fabrique
de fromages de Hollande.

Des fromages...

Tout cela posément, sans âpreté, sans
brutalité, sans jouer les hommes d'affaires,
sans cesser d'améliorer le confort de *la
Châtaigneraie* ni de jouir de la vie.

Pourtant, tout à coup, comme maintenant, alors que le docteur lui parlait de
choses qu'il jugeait sérieuses, son esprit
s'envolait.

Et ce n'était pas de l'imagination, ce
n'était pas un envol poétique. Il restait
logique.

Félix avait dit en parlant de Fachot qui
avait dû être ridicule :

— Elle l'a mis aussitôt à l'aise...

Il avait vu la scène beaucoup mieux que Félix, dans ses plus petits détails, y compris la couleur violette des ombres portées, car il connaissait les aspects de *la Châtaigneraie* à toutes les heures du jour.

... *Mis à l'aise...*

C'était exactement par la même attitude de Bébé que leurs relations avaient commencé. *La Châtaigneraie* et son atmosphère un peu lourde de campagne trop prospère s'effaçaient.

A la place, c'était Royan, son immense casino blanc, ses villas et la blondeur du sable parsemé de maillots et de parasols multicolores.

A la table de boule, Mme d'Onneville, à peine moins grosse qu'à présent, déjà vaporeuse dans une robe blanche et dans des gazes ou des linons.

François la connaissait à peine. Il savait seulement qu'elle habitait le même hôtel que lui, le *Royal*, et que, quand elle perdait, elle regardait soupçonneusement les croupiers, persuadée qu'elle était personnellement visée par leurs manigances.

Comment s'appelait la petite poule? Betty, ou Daisy... Une danseuse de Paris qui faisait un numéro chaque nuit dans une boîte de Royan. Elle avait voulu jouer. François lui passait de l'argent, petites sommes par petites sommes.

— Zut! J'en ai assez de perdre. On va prendre un *drink* au bar... Tu viens, chou?

C'était la cohue, aux alentours du 15 août. Betty ou Daisy avait une voix pointue et un pyjama de plage étourdissant.

— Il y a des *chips*, au moins?... Barman... Un *manhattan*...

Félix était là, au bar lui aussi, en compagnie de deux jeunes filles que François eut l'impression de reconnaître. Ce ne fut que quelques instants plus tard qu'il se souvint que c'étaient les deux filles de la joueuse de boule aux robes vaporeuses.

Félix, intimidé, ne savait s'il devait...

— Vous permettez que je vous présente mon frère François?... Mlle Jeanne d'Onneville. Sa sœur, Mlle... Au fait, j'avoue que j'ai oublié votre prénom...

— Je n'en ai plus... Tout le monde m'appelle Bébé...

Ce furent les premiers mots que François entendit de sa bouche.

— Tu ne me présentes pas?... T'es poli, toi!

— Une copine, Mlle Daisy... (ou Betty...)

La foule serrait le petit groupe contre le

haut comptoir d'acajou. D'un regard, Félix, un peu honteux, expliquait à son frère la situation : il faisait la cour à Jeanne d'Onneville, déjà grassouillette et bonne enfant.

— Dites donc! Si on allait faire un tour sur la jetée? Il règne une de ces chaleurs, ici!...

Une situation à la fois banale et ridicule, à la fin d'un bel après-midi. Le hasard faisait que Félix marchait devant avec Jeanne. François restait derrière entre Daisy et l'autre jeune fille, Bébé, qui n'avait pas dix-huit ans. Daisy s'impatientait. Elle avait l'impression de se promener en famille.

— Tu ne trouves pas qu'on rigole, toi?

— Ce coucher de soleil est savoureux, répondit calmement François.

— En fait de coucher, il y a plus folichon... Enfin! Si c'est ton goût...

Elle avait encore parcouru une centaine de mètres avec eux, gardant un silence renfrogné.

— Et puis, zut! j'en ai assez... *Bye! bye!*

Sur quoi elle avait foncé dans la foule.

— Il ne faut pas faire attention, mademoiselle...

— Pourquoi vous excusez-vous? C'est tout naturel, n'est-ce pas?

— Ah!

Elle avait compris. Elle le mettait à l'aise.

— Est-ce que votre frère a une petite amie aussi?

— Pourquoi me demandez-vous ça?

— Parce que je crois qu'il fait sérieusement la cour à ma sœur...

Elle était plus que mince, en ce temps-là; ses jambes paraissaient plus longues, sa taille encore plus flexible, mais jamais rien ne lui faisait détourner le regard. Elle vous fixait dans les yeux, sans sourire, et c'en était gênant.

— Ce soir, votre amie vous fera une scène. Je vous en demande pardon. C'est à cause de votre frère et de ma sœur. Si je n'accompagnais pas ma sœur, maman m'attraperait...

La scène ne manqua pas. Et, peut-être que sans un mot de Daisy...

— Si tu te mets à tourner autour des pucelles, à présent...

Le lendemain, François regarda Bébé autrement, avec une certaine timidité. Il était d'autant plus maladroit qu'il sentait qu'elle avait remarqué cette différence d'attitude. Un rien d'ironie et de satisfaction dans son regard. La façon aussi de répondre à sa pression de main.

— Votre amie est très fâchée?

— Cela n'a pas d'importance...

— Vous savez que votre frère et ma sœur, qui se voient chaque jour, éprouvent déjà le besoin de s'écrire? Vous habitez Paris?

— Non, la province...

— Ah!... Jusqu'ici, nous avons habité Constantinople... Maintenant que papa est mort, nous ne retournerons plus en Turquie... Maman possède une propriété dans l'Aube...

— Où cela?

— A Maufrand... C'est un coin perdu... Une vieille maison de famille... Une sorte de petit manoir qu'il va falloir restaurer...

— C'est à quinze kilomètres de chez moi, constata-t-il avec satisfaction.

Trois mois plus tard, dans l'église de Maufrand, les deux frères épousaient les deux sœurs. Au milieu de l'hiver, Mme d'Onneville, qui s'ennuyait dans sa grande maison à moisissures, venait s'installer en ville et prenait son jour, chaque semaine, chez ses deux filles.

Or, rien ne serait arrivé si, sur la jetée de

Royan, Bébé n'avait mis François à l'aise. Elle ne l'avait pas fait par hasard. Dès leur rencontre, au bar du casino, elle avait agi en pleine connaissance de cause, il en était persuadé.

Un couple marchait devant eux, un couple qui avait déjà l'air d'un couple : Jeanne et Félix.

Eh bien! dès qu'ils avaient été seuls, Bébé et lui, Bébé, elle aussi, avait changé de démarche. Il y a une façon de marcher à côté d'un homme... Il y a une façon, dans la conversation, de se tourner vers lui et de soutenir son regard... Il y a, dans l'abandon des corps, fût-ce au milieu de la foule...

Bébé l'avait voulu. N'avait-elle pas été dépitée quand il avait déclaré qu'il n'habitait pas Paris?

Elle avait voulu se marier, comme sa sœur.

Elle avait voulu posséder sa maison, ses bonnes...

Voilà ce que, pendant dix ans, l'homme lucide qu'il était avait pensé. Est-ce qu'il lui en avait voulu? Le mot est peut-être trop fort. Toujours est-il qu'il la regardait parfois comme elle l'avait regardé à Royan, d'un œil critique. Et la première fois qu'il l'avait possédée, il ne s'était pas fait d'illusions.

— Elle a la chair molle! avait-il constaté.

Il n'aimait pas sa chair. Il n'aimait pas sa peau trop blanche, ni sa façon passive de s'abandonner, de garder les yeux ouverts et les prunelles sereines pendant l'amour.

Elle avait voulu devenir Bébé Donge.

Pendant dix ans, il n'en avait pas douté. Toutes ses attitudes avaient découlé de cette certitude. Il était homme, une fois une vérité admise, à accepter le déroulement logique de toutes les conséquences.

*

— Le juge d'instruction m'a téléphoné ce matin pour savoir quand il pourra vous interroger...

François retrouva le docteur à son chevet, un thermomètre qu'il secouait à la main.

— J'ai cru bien faire en répondant que vous aviez besoin d'un repos de plusieurs jours. Les lavages vont vous affaiblir considérablement... Le juge n'a pas insisté... Comme il me l'a déclaré à l'appareil, du moment qu'*elle* se reconnaît coupable...

75

Le regard du malade troubla le médecin qui se demanda s'il ne venait pas de gaffer. Dans les yeux de Donge, en effet, Levert lisait une sorte d'étonnement candide au mot coupable.

— Je vous demande pardon de vous avoir parlé de ça. Mais je pensais, étant donné nos relations amicales...

— Vous avez raison, docteur...

Exactement comme avec sœur Adonie. On se méprenait sur son calme, sur cette sérénité presque bienheureuse qui émanait de François à un moment où tout le monde le croyait en proie à des pensées tumultueuses.

— Je reviendrai au début de l'après-midi... Après la piqûre que je vais vous faire, vous sommeillerez quelques heures...

Il ferma les yeux bien avant le départ du médecin, devina confusément que la sœur ouvrait la fenêtre et baissait le store de toile écrue. Il entendait chanter des oiseaux. Parfois une auto crissait en s'arrêtant sur le gravier d'une allée. Des malades se promenaient en conversant, mais il ne lui parvenait qu'un murmure inintelligible de voix. Les cloches grêles de la chapelle. Puis, à midi sans doute, la cloche plus grave du réfectoire.

Il fallait tenir bon le fil, remonter jusque très loin, ne rien oublier, ne pas se tromper sur le plus insignifiant détail.

Et sans cesse des choses s'interposaient, qui l'empêchaient de penser : Jacques avec son poisson au bout de sa ligne, l'éblouissement du soleil sur la cendrée rouge du tennis, les champignons qu'il avait fallu aller chercher à la ville et le vélum rayé du Café du Centre, les guéridons de marbre cerclé de cuivre, à l'ombre...

Quand Jacques était né, à la clinique du docteur Péchin, qui ne s'était pas encore retiré dans le Midi...

C'était un peu la même ambiance qu'à l'hôpital. On le faisait attendre, le matin, dans un jardin plein de tulipes, car c'était en avril. Il percevait l'écho de l'agitation dans les chambres et dans les couloirs. Des fenêtres s'ouvraient et il devinait la fin du désordre matinal, la mise en place pour la journée, les draps propres, les plateaux enlevés, les enfants qu'on rendait à leur mère...

Un peu pâles, elles étaient assises sur les lits et les infirmières couraient d'une chambre à l'autre.

— Vous pouvez venir, monsieur Donge...

Comme quand Félix était entré le matin

après s'être impatienté au bout du corridor. On ne se doute pas des heures qui ont précédé. Tout est clair et net. Les traces de souffrances ont été soigneusement effacées.

Le sourire inquiet de Bébé... Car il y avait de l'inquiétude dans son sourire! Pourquoi était-ce maintenant seulement qu'il découvrait que c'était de l'inquiétude?

A l'époque, il s'était imaginé... Elle lui en voulait parce qu'il était un homme, parce qu'il n'avait pas souffert, parce que la vie, pour lui, continuait comme par le passé, parce qu'avant de venir il était allé à son bureau et qu'il avait traité des affaires... Qui sait? Peut-être parce qu'il avait profité de la liberté que lui donnait...

Sœur Adonie tournait autour de lui sur la pointe des pieds. Elle se penchait, le voyait calme et le croyait endormi. Est-ce qu'on ne se trompe pas toujours, fatalement, sur ce que pense autrui?

— Maman est venue hier... Elle prétend que le petit est un Donge et qu'il n'a rien de chez nous...

Qu'aurait-il dû dire qu'il n'avait pas dit?

— Clo ne te soigne pas trop mal? La maison n'est pas trop en désordre?

C'était la maison de son père, à côté de la tannerie, face à la rivière. Il l'avait fait remettre à neuf, mais elle gardait un aspect vieillot. Il y avait des corridors imprévus, des murs qui n'étaient l'œuvre d'aucun architecte, des pièces en contrebas, des lanterneaux.

— Je me perds toujours dans ce labyrinthe! répétait Mme d'Onneville, habituée aux immeubles neufs de Péra dont les fenêtres dominaient la Corne d'Or. Je me demande pourquoi vous ne faites pas construire.

Félix et Jeanne habitaient, deux rues plus loin, une maison un peu plus moderne, mais Jeanne n'aimait pas s'occuper de son ménage. Pas plus que de ses enfants. Elle lisait et fumait au lit, jouait au bridge, s'occupait d'œuvres, pour le plaisir de s'agiter.

— Si je ne suis pas rentrée à huit heures, Félix, tu mettras les enfants au lit...

Félix le faisait.

Quel était ce vacarme, ce bruit soudain de voix enchevêtrées comme au sortir de la grand-messe du dimanche? C'était jour de visite. On venait d'ouvrir les portes. Les familles des malades se répandaient, avec du raisin, des oranges, des douceurs, dans les couloirs et dans les salles.

— Chut!... Ici, il y a un grand malade qui dort...

Sœur Adonie montait la garde devant la porte du 6. Est-ce que François avait dormi? Il n'avait jamais vu le cabinet du juge d'instruction et il l'imaginait, mal éclairé, avec sur le bureau une lampe à abat-jour vert. Dans un coin, un placard. Pourquoi un placard? Il n'en savait rien. Il voyait un placard et une fontaine d'émail pour se laver les mains, une serviette suspendue à un clou.

Le juge, à peine nommé d'un mois, il l'avait aperçu. Un blond fade, un peu gras, un peu chauve, avec une femme au type chevalin assez prononcé.

Les prévenus devaient être assis sur une chaise de paille. Quelle robe Bébé avait-elle mise? Avait-elle gardé sa robe verte du dimanche? Sûrement non. C'était une robe d'après-midi, une robe dite de campagne. Il croyait se souvenir qu'elle avait nom *Week-end*.

Bébé avait dû choisir un tailleur. Elle avait le sens des nuances. Quand elle était jeune fille... Mais qu'importe! A quoi ces interrogatoires pouvaient-ils servir? Elle ne dirait rien. Elle était incapable de parler d'elle.

Pudeur? Orgueil?

Un jour que, par hasard, il était en colère, il lui avait lancé comme un coup de fouet :

— Tu es bien la fille de ta mère, qui se croit obligée de couper son nom en deux! Dans votre famille, vous ètes pétries d'orgueil...

Les Donneville... pardon : d'Onneville... Et, de l'autre còté, les Donge, les deux frères Donge, les fils du tanneur Donge, actifs et têtus, qui, à force de patience et de volonté...

Jusqu'à ce surnom de Bébé!... Ce café turc qu'on préparait parfois dans la cuivrerie de pacotille pour rappeler Constantinople...

Bazar... Clinquant... Brùle-parfums...

Eux, les frères Donge, tannaient des peaux, utilisaient la caséine, faisaient des fromages et, depuis un an, élevaient des porcs, car il restait encore, pour les engraisser, des matières inutilisées.

Le résultat de cet effort n'était-il pas *la Chàtaigneraie*, les bas de soie à quatre-vingts francs la paire, les robes commandées à Paris et cette lingerie que...

Et cette énorme Mme d'Onneville, avec son orgueil béat et imbécile, ses foulards, ses cheveux passés à Dieu sait quel produit qui les rendait mauves...

Une femme incapable de faire l'amour!... Car Bébé était incapable de faire l'amour. Elle le subissait, un point c'est tout. Après, on avait envie de s'excuser.

— Cela t'ennuie?

— Mais non!

Résignée, soupirant sur son triste sort, elle passait dans la salle de bains pour effacer toute trace de l'étreinte.

Mais si, à la base, c'est-à-dire à Royan, François s'était trompé? Si elle n'avait pas décidé, de sang-froid, qu'il l'épouserait? Si...

Alors, il fallait tout revoir, tout réviser. Elle ne dirait rien et, dans ce cas, ce ne serait pas par orgueil. Ce serait...

— Mon pauvre monsieur... On vous a pourtant dit d'appeler... Voilà encore votre lit plein de sang...

Il s'en repentit par la suite, mais ce fut plus fort que lui. Il regarda sœur Adonie comme si elle eût été un arbre, ou une barrière, n'importe quoi sauf une bonne sœur inquiète de la santé physique et morale d'autrui, et il lui lança d'une voix dure :

— Qu'est-ce que ça peut vous f...?

IV

Deux femmes de ménage au lieu d'une avaient astiqué la chambre. L'infirmier avait aidé et sœur Adonie en personne, émue comme pour la visite de Monseigneur, avait veillé à tout.

— Vous mettrez la petite table près de la fenêtre... Non, la chaise de l'autre côté, sinon *il* ne verra pas clair pour écrire...

Tout cela pour voir arriver enfin un homme ventripotent et un peu chauve qui se glissa, l'air gêné, le long des couloirs, suivi d'un jeune homme tiré à quatre épingles comme on en rencontre plein les rues le dimanche.

— Oui, ma sœur... Merci, ma sœur... Je vous en prie, ma sœur... Ce sera très bien ainsi, ma sœur...

C'était M. Giffre, le juge d'instruction. Il venait de Chartres, ce qui constituait tout le contraire d'un avancement. Ses idées politiques étaient d'extrême droite et on prétendait qu'il avait fait condamner un membre influent de la Loge. Toujours est-il qu'on se moquait de lui à cause de son béret basque et de son vélo, à cause surtout de ses six enfants qu'il promenait aussi gravement, aussi fièrement qu'une procession.

Depuis un mois qu'il était arrivé, il n'avait pu trouver un logement convenable en ville, et un médecin des environs, qui habitait à huit kilomètres, avait mis à sa disposition un bâtiment délabré, sans eau, sans électricité, parsemé de quelques vieux meubles disparates.

Peut-être M. Giffre avait-il déjà rencontré François Donge dans la rue? En tout cas, il devait en avoir entendu parler, mais les deux hommes n'avaient pas encore eu l'occasion d'être présentés l'un à l'autre.

Donc, en entrant, une simple inclinaison du buste, puis quatre pas rapides vers la petite table préparée près de la fenêtre. Tout en ouvrant sa serviette et pendant que le greffier s'installait :

— Le docteur Levert m'a annoncé que je pouvais vous prendre une demi-heure environ; néanmoins, il est évident que je me retirerai au moindre signe de fatigue. Vous permettez que je commence mon interrogatoire? Vous vous appelez?...

— Donge, François-Charles-Émile, fils de Donge Charles-Hubert-Chrétien, tanneur, décédé, et de Fillàtre Émilie-Hortense, sans profession, décédée...

— Vous n'avez jamais été condamné?...

Le juge bredouillait cela avec le geste de chasser une mouche et toussotait. Il n'avait pas encore regardé vers le lit où François était adossé à plusieurs oreillers. De l'autre côté des vitres (on avait baissé le store qui formait un grand rectangle doré) on entendait le pas lent des malades sur le gravier, car c'était l'heure de la promenade.

— Le dimanche 20 août, vous trouvant dans votre propriété de *la Châtaigneraie*, commune d'Ornaie, vous avez été victime d'une tentative d'empoisonnement.

Silence. Le juge leva la tète et vit François qui l'observait avec attention.

— Je vous écoute...

— Je ne sais pas, monsieur le Juge.

— Le docteur Pinaud, qui vous a soigné, déclare que le doute n'est pas possible et que vous avez pris ce jour-là, vers deux heures de l'après-midi, une forte dose d'arsenic, vraisemblablement dans votre café.

Silence à nouveau.

85

— Vous niez les faits?

— J'ai été très malade, je l'admets.

— Autrement dit, vous refusez de porter plainte. Vous devez savoir qu'en l'occurrence nous nous devons de poursuivre l'action, fût-ce en l'absence de plainte de la part de la victime?

François ne disait toujours rien. Il regardait le juge comme il avait l'habitude de regarder les gens. Comment cet homme, préoccupé de ses enfants, de son installation provisoire, des huit kilomètres qu'il allait devoir parcourir en vélo pour déjeuner, des intrigues qui commençaient déjà autour de lui, pouvait-il tout à coup, rien qu'en ouvrant un dossier, découvrir la plus petite parcelle de vérité sur Bébé Donge alors que son mari, qui avait vécu dix ans avec elle...

— Je vais, bien que ce ne soit pas tout à fait régulier, vous lire le procès-verbal du premier interrogatoire de Mme Donge. Il s'agit plutôt d'une déclaration faite à l'inspecteur Janvier, le dimanche 20 août, à 17 heures.

Moi, Eugénie-Blanche-Clémentine, âgée de vingt-sept ans, épouse Donge, déclare, sous la foi du serment, ce qui suit : ce jour, me trouvant à la Châtaigneraie, *qui appartient en commun à mon mari et à son frère, j'ai attenté par le poison à la vie de François Donge en versant dans son café une certaine quantité d'arsenic.*

Je n'ai rien à ajouter.

Le juge d'instruction leva les yeux juste à temps pour voir un sourire s'envoler des lèvres de François.

— Vous voyez que votre femme reconnaît les faits.

Rarement comme en face de ce lit de malade M. Giffre avait eu l'impression désagréable de se mêler de ce qui ne le regardait pas. Même devant Bébé Donge...

— Je vais maintenant vous donner connaissance du procès-verbal de l'interrogatoire que j'ai fait subir hier à la prévenue...

Il regretta le mot prévenue, mais il était trop tard et François n'avait pas manqué de sourciller. Est-ce que Bébé, pour cet interrogatoire, portait une robe ou un tailleur? Il avait besoin, avant d'écouter les paroles qu'elle avait prononcées, de se la représenter plastiquement, dans une ambiance déterminée. Il fermait les yeux à demi et, sans le vouloir, il revoyait la jetée de Royan avec, de dos, le couple que formaient Félix et Jeanne.

— Je vous fais grâce des formules habituelles. Je ne vous lis que les questions et réponses principales.

Question : A quel moment avez-vous formé le projet d'attenter à la vie de votre mari?

Réponse : Je ne sais pas au juste.

Question : Plusieurs jours avant l'attentat? Plusieurs mois?

Réponse : Probablement plusieurs mois.

Question : Pourquoi dites-vous *probablement?*

Réponse : Parce que c'était un projet assez vague.

Question : Qu'entendez-vous par un projet assez vague?

Réponse : Je sentais confusément que nous en arriverions là, mais je n'en étais pas sûre...

François poussa un soupir. Le juge le regarda, mais il était déjà trop tard : son visage n'exprimait plus qu'une attention soutenue.

— Je puis continuer? Je ne vous fatigue pas?

— Je vous en prie.

— Je reprends donc :

... mais je n'en étais pas sûre...

Question : Qu'entendez-vous par les mots *que nous en arriverions là?* Vous employez un pluriel que je ne m'explique pas.

Réponse : Moi non plus.

Question : La mésentente durait-elle depuis longtemps dans votre ménage?

Réponse : Il n'y a jamais eu mésentente entre mon mari et moi.

Question : Quels sont donc vos griefs contre lui?

Réponse : Je n'ai aucun grief.

Question : Aviez-vous des raisons d'être jalouse?

Réponse : Je l'ignore, mais je n'étais pas jalouse.

Question : Si ce n'est à la jalousie qu'il faut attribuer votre geste, à quel mobile avez-vous obéi?

Réponse : Je ne sais pas.

Question : Il n'y a eu aucun cas de maladie mentale dans votre famille? De quoi votre père est-il mort?

Réponse : De dysenterie amibienne...

Question : Et votre mère est saine de corps et d'esprit? Le docteur Bollanger, qui vous a examinée à ce point de vue, affirme que vous êtes responsable de vos actes. Quelle était la nature de vos rapports avec votre mari?

Réponse : Nous vivions sous le même toit et nous avons un fils.

Question : Des disputes éclataient-elles fréquemment?

Réponse : Jamais.

Question : Certains indices vous donnent-ils à penser que votre mari avait des attaches ailleurs?

Réponse : Je ne m'en suis pas inquiétée.

Question : S'il en avait été ainsi, vous seriez-vous vengée d'une façon ou d'une autre?

Réponse : Cela ne m'aurait pas affectée.

Question : En somme, vous prétendez que, depuis plusieurs mois, vous étiez plus ou moins décidée à tuer votre mari et que vous ignorez la raison d'une détermination aussi grave?

Réponse : C'est bien cela.

Question : Où et quand vous êtes-vous procuré le poison?

Réponse : Je ne puis vous dire la date exacte, mais c'était au mois de mai...

Question : Donc trois mois avant le crime? Continuez...

Réponse : J'étais allée en ville pour acheter divers objets, entre autres de la parfumerie.

Question : Pardon! Vous habitiez donc le plus souvent *la Châtaigneraie?*

Réponse : Depuis trois ans, presque toute l'année, à cause de la santé de mon fils. Sans être malade à proprement parler, il est assez délicat et le grand air lui est nécessaire.

Question : Votre mari habitait-il *la Châtaigneraie* avec vous?

Réponse : Pas d'une façon continue. Il venait tantôt deux, tantôt trois jours par semaine. Parfois il arrivait le soir et repartait le lendemain matin...

Question : Je vous remercie. Continuez... Vous en étiez à certain jour de mai...

Réponse : Vers le milieu du mois, je m'en souviens... J'avais emporté trop peu d'argent avec moi. Je suis passée à l'usine...

Question : A l'usine de votre mari? Vous aviez l'habitude d'y aller?

Réponse : Rarement. Ses affaires ne m'intéressent pas. Il n'était pas dans son bureau. Je suis entrée dans le laboratoire, croyant l'y trouver. Mon mari est chimiste et se livre à certaines expériences... Dans une petite armoire vitrée, j'ai vu un certain

91

nombre de flacons portant des étiquettes...

Question : Jusqu'à ce jour-là, vous n'aviez jamais pensé au poison?

Réponse : Je crois que non... Le mot arsenic m'a frappée... J'ai pris le flacon où il ne restait que très peu de poudre d'un blanc grisâtre et je l'ai mis dans mon sac...

Question : Avec, dès lors, l'idée de vous en servir?

Réponse : Peut-être... C'est difficile à affirmer... Mon mari est entré et m'a remis l'argent...

Question : Deviez-vous lui rendre des comptes de ce que vous dépensiez?

Réponse : Il m'a toujours donné autant d'argent que j'en voulais.

Question : Ainsi, pendant trois mois, vous avez caché le poison en attendant le moment de vous en servir. Qu'est-ce qui vous a fait choisir ce dimanche-là plutôt qu'un autre jour?

Réponse : Je ne sais pas. Je suis un peu lasse, monsieur le juge, et, si vous le permettiez... »

M. Giffre releva la tête. Il était grave, embarrassé. Pour un peu, il aurait passé ses doigts dans ses cheveux rares.

— C'est tout ce que j'ai obtenu, avouat-il. J'espérais que vous pourriez me donner quelques éclaircissements.

Il oubliait le juge et regardait François Donge en homme. Il se levait, arpentait la petite chambre ripolinée, allant jusqu'à enfoncer les mains dans les poches d'un pantalon trop large.

— Je n'ai pas besoin de vous dire, monsieur Donge, que tout le monde en ville parle d'un drame passionnel et qu'on murmure certains noms... Je sais que ces rumeurs ne doivent pas influencer la Justice. Des indices vous donnent-ils à penser que votre femme était au courant d'une liaison quelconque que vous auriez pu avoir?...

Avec quelle hâte il glissait! Et comme il cessait soudain de marcher, stupéfait, en entendant François répondre :

— Ma femme était au courant de toutes mes histoires de femmes...

— Voulez-vous dire que vous lui racontiez vos aventures?

— Quand elle me le demandait...

— Excusez-moi d'insister. C'est tellement surprenant que j'ai besoin de précisions... Vous aviez donc, non pas une, mais de nombreuses aventures?...

— Assez nombreuses... La plupart du

temps sans importance, souvent sans lendemain...

— Et, rentré chez vous, vous racontiez à
votre femme...

— Je la considérais comme une camarade... Elle-même m'avait mis à l'aise...

Le mot, prononcé machinalement, frappa
François qui resta un instant rêveur.

— Il y a longtemps que ces confidences
ont commencé?

— Plusieurs années... Je ne pourrais pas
préciser...

— Et vous restiez mari et femme?... Je
veux dire que vous aviez encore des rapports normaux de mari et femme?

— Assez peu... La santé de ma femme,
après son accouchement surtout, ne permet-
tait pas...

— Je comprends. Elle a permis, en
somme, que vous cherchiez ailleurs ce
qu'elle ne pouvait vous donner...

— C'est à peu près cela, sans être rigoureusement exact.

— Et vous n'avez jamais senti chez elle
la moindre jalousie?

— Pas la moindre.

— Jusqu'au bout, c'est-à-dire jusqu'à
dimanche, vous êtes restés ainsi des camarades?

Lentement, François regarda le juge des pieds à la tête. Il le vit au milieu des siens, dans la bicoque du docteur, qu'il connaissait. Il le vit en vélo sur la route, avec des pinces au bas des pantalons. Il le vit le dimanche à la grand-messe, suivi de ses six enfants et de sa femme affairée.

Alors il dit oui du bout des lèvres. Le greffier écrivait toujours avec application et le soleil tamisé par le store mettait un reflet sur ses cheveux gominés.

— Permettez-moi d'insister sur ce point, monsieur Donge...

Et le juge lui lançait un pauvre regard de quelqu'un qui sait bien qu'il a tort de s'obstiner, mais qui fait son devoir.

— Je vous assure que je n'ai rien d'autre à vous dire, monsieur Giffre...

Ce « monsieur Giffre » était si inattendu que les deux hommes se regardèrent avec l'impression qu'un instant ils n'étaient plus un juge et un témoin, mais deux hommes que le hasard plaçait dans une situation embarrassante. Le magistrat toussa, se tourna vers son greffier comme pour lui dire de ne pas transcrire le « monsieur Giffre », ce que le greffier avait déjà compris.

— J'aurais aimé transmettre le dossier au Parquet le plus tôt possible, afin de couper court à l'agitation que ces sortes d'affaires provoquent toujours dans une petite ville.

— Ma femme a-t-elle fait choix d'un avocat?

— Tout d'abord, elle n'en voulait pas. Sur mon insistance, elle a choisi Me Boniface...

Le meilleur avocat du barreau, un homme de soixante ans, barbu, important, dont la gloire n'était pas seulement locale, mais rayonnait sur plusieurs départements.

— Il a vu sa cliente hier après-midi. A ce que j'ai pu comprendre lorsqu'il m'a rendu ensuite visite, il n'est guère plus avancé que moi.

Tant mieux! De quoi ces hommes se mêlaient-ils, après tout? Qu'est-ce qu'ils s'obstinaient à découvrir? Oui, quoi? Pourquoi? Qu'est-ce qu'ils en feraient, de la vérité, si par miracle ils l'atteignaient?

La vérité!...

— Écoutez-moi, monsieur le Juge...

Non! C'était beaucoup trop tôt. Ce n'était pas mûr.

— Je vous écoute...

— Je vous demande pardon... Je ne sais plus ce que je voulais dire... Vous avez bien voulu m'annoncer que, quand je me sentirais fatigué...

Ce n'était pas vrai. Il n'avait jamais eu l'esprit plus agile. Cette conversation lui avait fait du bien. Il s'était livré à une sorte de gymnastique qui l'avait décrassé.

— Je comprends... Nous allons donc nous retirer... Je vous demande de réfléchir et vous admettrez, j'en suis sûr, que votre devoir, dans l'intérêt de votre femme autant que dans celui de la Justice...

Mais oui, monsieur le Juge! Vous êtes un excellent homme, un citoyen modèle, un père de famille admirable, un magistrat intègre et même intelligent. Quand je sortirai de l'hôpital, je vous aiderai à trouver une charmante petite maison, car je connais mieux la ville que quiconque et j'ai une certaine influence sur les gens. Vous voyez que je ne vous en veux pas, que je comprends votre situation.

Seulement, de grâce, ne touchez pas a Bébé Donge. N'essayez pas de comprendre Bébé Donge.

— En m'excusant encore de vous avoir fatigué...

— Mais non... Mais non...

— Je vous salue...

Il saluait et sortait, trouvait dans le

couloir sœur Adonie qui le conduisait vers la grande porte vitrée. Son greffier le suivait, ébloui par le soleil.

Et François, assis sur son lit, fixant la table qui ne servait plus à rien, se disait que Bébé avait été exactement comme elle devait être.

Jamais, en vérité, il ne s'était senti plus près d'elle. Il y avait des réponses qu'elle avait faites et qu'il lui aurait soufflées. Par moments, tandis que le juge lisait, il avait eu envie d'approuver d'un sourire satisfait.

Est-ce qu'il était heureux? Il ne se posait pas la question, mais il se sentait l'esprit léger, l'âme comme repue.

— C'est gentil à vous, ma sœur... Oui, ouvrez la fenêtre... Je me mets à aimer cette cour ombragée et ces malades qui se promènent au ralenti... Hier, j'en ai vu un, un vieux, qui fumait en cachette derrière un arbre...

— Voulez-vous bien vous taire!... Si vous me dites qui c'est, je serai obligée de sévir...

— Qu'est-ce que vous lui feriez?

— Je lui supprimerais son « dimanche »... Car, aux vieux qui n'ont pas beaucoup de chances de quitter l'hôpital, nous donnons, le dimanche, un peu d'argent de poche...

— Pour leur tabac, n'est-ce pas?

Ses yeux riaient.

— Mon portefeuille doit être quelque part dans mon veston. Prenez ce qu'il y a dedans... Cela vous servira pour le dimanche des vieux...

— J'oubliais de vous annoncer que vous avez encore une visite. Je me demande...

— Je vous jure, ma sœur, que je ne suis pas fatigué. Qui est-ce?

— Le docteur Jalibert...

Allons! La bonne sœur était au courant, elle aussi, cela se voyait à son air pudibond.

— Faites-le entrer, ma sœur... Il doit être horriblement inquiet...

— Il y a déjà une demi-heure qu'il arpente le couloir en fumant des cigarettes... Je n'ai rien osé lui dire, parce que c'est un docteur, mais...

Jalibert entra en coup de vent, les lèvres retroussées dans un sourire forcé.

— Comment va, cher ami?... Pas trop souffert... Levert m'a dit que vous aviez fort bien supporté ça...

Sœur Adonie sortait, renfrognée.

— Je viens de voir le juge d'instruction qui sortait d'ici... J'étais par hasard à l'hôpital où j'ai un malade... Je ne vous aurais pas dérangé si on ne m'avait affirmé

99

que vous étiez très bien ce matin... Vous permettez?

Il allumait une cigarette, marchait, s'arrêtait, repartait vers la fenêtre, maigre, mal bâti, laid de corps et d'âme.

— Je suppose que ce pauvre juge qui, entre nous, n'a pas l'air d'un as et qui a assez mauvaise presse dans le pays, a essayé de vous tirer les vers du nez?...

— Il a été fort convenable...

— Discret? questionna Jalibert avec un sourire tremblant.

— Il fait tout son possible pour découvrir une vérité que je ne connais pas encore...

Et Jalibert de répliquer par un vulgaire :
— Sans blague?

Dire qu'à cause d'Olga Jalibert, qui avait un corps dur et savoureux comme une prune et qui se lançait dans l'amour, comme dans la vie, avec une ardeur insolente, François avait dû serrer cent fois la main du docteur, manger à sa table et bridger avec lui!

— Dites donc!... Au fait... Maintenant, vous devez savoir sur quel terrain votre femme va porter sa défense?... Il paraît qu'elle a choisi Boniface comme avocat... Je ne vois pas cet homme austère et ennuyeux plaider une affaire de ce genre...

L'inquiétude devait lui ronger la poitrine. Il attendait un mot, et ce mot, François, par jeu, tardait à le prononcer.

Qu'est-ce que Jalibert allait encore trouver pour le forcer à parler?

— Boniface, avec sa barbe carrée et ses cheveux en brosse, ses sourcils broussailleux et sa robe luisante, joue les saints de vitrail. C'est l'homme qui, pour une plaidoirie retentissante, n'hésiterait pas, au nom de la morale, à déshonorer toute une ville... Confier une affaire passionnelle à un tel avocat, c'est...

Alors, quand même, François prononça d'une voix très douce :

— Il n'y a pas d'affaire passionnelle...

L'autre dut se contenir pour ne pas bondir de joie, pour faire l'étonné.

— Qu'est-ce que votre femme va plaider?

— Elle ne plaide rien...

— Elle nie? Le journal de ce matin prétend...

— Que prétend-il?

— Qu'elle a tout avoué, y compris la préméditation...

— C'est exact.

— Alors?

— Alors, rien!

Jalibert, qui aurait, lui, tué dix malades pour agrandir sa clinique ou acheter une plus grosse auto, n'en revenait pas, regardait Donge avec inquiétude, se demandait si on ne se moquait pas de lui.

— Il faut pourtant qu'elle se défende... Et, en se défendant, elle peut être amenée à mettre des tiers en cause...

— Elle ne se défendra pas...

— Cela a toujours été une femme incompréhensible, dit Jalibert avec un sourire jaune. J'en parlais hier avec je ne sais plus qui... Je disais :

« — Personne n'a jamais su ce que pensait Bébé Donge... »

« Je ne sais pas si cela tient à l'éducation qu'elle a reçue à Constantinople... Il faut avouer que sa mère est déjà passablement originale... Quant à elle... Mais enfin, quel mobile donne-t-elle de son acte?

— Elle n'en donne pas.

— Elle plaide l'irresponsabilité? Remarquez que, médicalement, cela se tient et, pour ma part, si on me demandait mon témoignage... J'en ai parlé à Levert... Il certifierait au besoin... Dites donc, vieux...

François le regardait en s'efforçant de ne pas sourire.

— Si vous parveniez à toucher Boniface ou plutôt, comme ce n'est pas très régulier, à le faire toucher par quelqu'un de sûr?... En plaidant l'irresponsabilité, il est certain de son affaire et, de mon côté, je me charge des médecins qui seront désignés comme experts...

— Bébé n'est pas folle... Ne vous en faites pas, Jalibert... Vous verrez que tout s'arrangera... Les travaux marchent? Le pavillon se bâtit?... Ne m'en veuillez pas, mais c'est l'heure de mes soins...

Il étendit le bras et sonna. Sœur Adonie frappa imperceptiblement à la porte et entra sans attendre.

— Vous avez appelé?

— On peut commencer mes soins, ma sœur... Si l'infirmière est libre...

Il avait hâte que les soins fussent finis, hâte de se retrouver seul dans la chambre bien propre, la fenêtre ouverte sur la cour, les draps glacés d'amidon, le corps vide et l'esprit légèrement engourdi par la piqûre biquotidienne.

Il avait tellement hâte de retrouver Bébé qu'il n'attendit pas le départ de Jalibert. C'est à peine s'il l'entendit lui dire au revoir. Il avait les yeux clos. Il sentit qu'on le mettait nu, qu'on le retournait, qu'on le tripotait...

— Je vous fais mal?

Il ne répondit pas. Il était loin. Il avait peut-être mal, mais c'était sans importance.

... Une chambre d'hôtel, ou plutôt une chambre de palace, aux larges baies et au balcon éblouissant de blancheur d'où l'on découvrait, par delà la Croisette, tout le port de Cannes, ses mâts enchevêtrés, ses coques effilées qui se touchaient et une immensité bleu lavande où bourdonnaient les canots automobiles...

Félix et Jeanne avaient choisi Naples. C'était plutôt par convenance, par une sorte de respect humain, que les deux frères avaient fait leur voyage de noces séparément. Qui sait, après tout, si ça n'avait pas été une erreur?

Un voyage d'une nuit, en wagon-lit. Des mimosas plein la gare. Le pisteur du palace qui attendait.

— M. et Mme Donge?... Si vous voulez me suivre...

Un François qui avait son sourire le plus ironique, comme quand il n'était pas très fier de lui. La vérité, c'est qu'il avait le trac et qu'en outre il se sentait ridicule. N'est-ce pas un rôle ridicule que celui du jeune marié, avec encore des fleurs plein le compartiment, les cadeaux qu'on vous a remis à la dernière minute et cette jeune fille qui attend d'être femme, qui sait que le moment est proche, qui sans doute vous guette avec un mélange d'impatience et d'effroi?

— Vous savez, François, de quoi j'ai envie?

A ce moment, ils se disaient encore vous. D'ailleurs, après dix ans de mariage, il leur arrivait souvent de se vouvoyer.

— Vous allez sans doute me trouver ridicule... J'ai envie d'une promenade en barque... Cela me rappellera les yalis sur le Bosphore... Vous êtes fâché?

Non! Oui!... Enfin, c'était parfaitement saugrenu. Et ce fut d'autant plus gênant qu'on ne trouvait pas de barque à rames. Tout le long du quai, il y avait des vedettes à moteur dont les propriétaires les assaillaient.

— Promenade en mer?... Ile Sainte-Marguerite?...

Bébé, insensible au ridicule, lui serrait le bras, lui murmurait à l'oreille :

— Une petite barque avec rien que nous deux...

Ils l'avaient enfin trouvée, la petite barque. Elle était lourde. Les avirons étaient si drôlement accrochés qu'ils sautaient sans cesse. Il faisait chaud. Bébé, à l'arrière, laissait tremper les mains dans l'eau, comme sur une carte postale. Des pêcheurs d'oursins les regardaient, amusés, et ils faillirent être abordés par un yacht qui rentrait.

— Vous êtes fâché?... Sur le Bosphore, il m'arrivait, le soir, de prendre toute seule un yali et de me laisser aller au fil de l'eau jusqu'à ce que la nuit fût complète...

Oui, évidemment! Sur le Bosphore...

— Si vous êtes fatigué, rentrons...

Il avait envie de boire quelque chose au bar, mais elle était déjà dans l'ascenseur. Jusqu'au liftier qui avait un sourire moqueur. Il était dix heures du matin.

— Toute cette lumière ne vous fait pas peur, François? Il me semble que la mer nous regarde...

La mer qui regarde!

Bon! Il avait baissé les persiennes. Et cela avait tout découpé en minces tranches, y compris le corps de Bébé.

Elle ne savait pas embrasser. Ses lèvres restaient inertes. A vrai dire, le contact des lèvres devait lui apparaître comme un rite peut-être nécessaire, mais barbare.

Tout le temps, elle était restée les yeux ouverts, le regard au plafond, et parfois son visage un peu pâle était parcouru comme d'un tressaillement de douleur.

Qu'est-ce qu'il avait dit au juste? Quelque chose comme :

— Vous verrez que plus tard, dans quelques jours...

Elle lui avait serré la main de ses doigts moites en murmurant :

— Mais oui, François...

Ainsi qu'on parle à quelqu'un pour lui faire plaisir, pour qu'il ne soit pas trop malheureux. Ses petits seins qui n'étaient pas mous, mais qui n'étaient pas fermes, les salières, de chaque côté du cou...

Faute de savoir que faire, il s'était levé et, en pyjama, il avait marché vers la baie vitrée. Il avait levé les persiennes, allumé une cigarette. S'il l'avait pu, à ce moment, s'il avait osé être lui-même, il aurait sonné le garçon et aurait commandé un porto ou un whisky. Le soleil éclairait le lit. Bébé s'était couverte. Comme elle avait le visage dans l'oreiller, il ne voyait que ses cheveux blonds. Il croyait deviner, à certains tressaillements...

— Tu pleures?

Il venait de dire « tu » pour la première fois, d'un ton protecteur et maussade à la fois. Il avait horreur des larmes, horreur de tout ce qui complique les choses simples et saines, horreur de cette ridicule promenade en barque, de ces yeux au plafond et maintenant de ces larmes.

— Écoute, mon petit... Je vais te laisser reposer... Tu descendras dans une heure ou deux et nous déjeunerons sur la terrasse...

Quand elle était descendue, en robe crème à petits volants, qui faisait à la fois jeune femme et jeune fille, elle paraissait plus mince que jamais, plus grave dans sa physionomie comme dans ses mouvements. Elle s'efforçait de sourire. Elle le retrouvait au bar où il venait de se faire préparer un cocktail.

— Vous étiez là! dit-elle.

Pourquoi, dans ces trois mots, sentit-il un reproche? Pourquoi ce coup d'œil à sa cigarette?

— Je vous attendais... Vous avez dormi?

— Je ne sais pas...

Le maître d'hôtel attendait respectueuse-
ment à quelques pas.

— Madame désire-t-elle déjeuner au
soleil ou à l'ombre?

— Au soleil, dit-elle.

Puis, vivement :

— Si vous aimez mieux, François...

Il préférait l'ombre, mais n'en dit rien.

— Je vous ai déçue...

— Mais non...

— Je vous demande pardon...

— Pourquoi voulez-vous absolument
parler de ça?...

Il leva la tête. Il était occupé à manger
de bon appétit les hors-d'œuvre variés.

— ... Je n'ai pas faim... Que cela ne vous
empêche pas de déjeuner, mais ne me forcez
pas... Vous êtes fâché?

Et encore quoi?

— Mais non, je ne suis pas fâché!

Malgré lui, il répliquait sur un ton furi-
bond.

*

— C'est fini, M. Donge... On ne vous a
pas trop torturé?... Vous allez pouvoir vous
reposer pendant deux ou trois heures...

Encore un instant, qu'on vous fasse votre piqûre...

Il entrevit vaguement, entre la grille de ses cils qui se rejoignaient, la cornette et le visage grassouillet, bonasse, de sœur Adonie.

V

Il achevait de nouer sa cravate, sans l'aide d'un miroir (sans doute est-ce pour ne pas effrayer les malades qu'il n'y a pas de miroirs dans les chambres d'hôpital?); la fenêtre était grande ouverte; l'ombre, sous les platanes, était fraîche et, malgré la présence des vieillards en bleu sur les bancs, malgré le passage furtif d'une civière, c'était un peu attristant de se tourner vers la chambre et de se dire qu'on n'en faisait déjà plus partie. A tel point que, ce matin, les draps de lit avaient été enlevés!

Félix qui, par aventure, avait revêtu un complet clair, sortait du bureau en remettant son portefeuille dans sa poche et traversait les locaux d'un pas joyeux.

— Prêt?

— Prêt... Tout est réglé?... Tu n'as pas oublié les infirmières?

François, lui, quelles que fussent les circonstances, n'oubliait rien. La preuve, c'est que, son nécessaire de toilette à la main, il remarqua en fronçant les sourcils :

— J'aurais dû te dire de ne rien donner à la petite brune qui louche... Un soir, elle m'a laissé en plan parce qu'il était son heure...

Ils longeaient le corridor aux dalles jaunes.

— Alors, sœur Adonie?... Cette fois, je vous quitte!... Au fait, il nous reste une petite question à régler... Vous souvenez-vous de ce que je vous avais dit de prendre dans mon portefeuille? Pourquoi ne l'avez-vous pas fait?

— Je n'ai pas osé...

— Combien avez-vous de vieux à demeure?

— Une vingtaine...

— Attendez donc... A dix francs par dimanche... Félix, veux-tu donner mille francs à sœur Adonie et tu lui en enverras autant chaque mois... A condition, ma sœur, que vous fermiez les yeux quand vous trouverez du tabac dans leurs poches, n'est-ce pas?...

L'auto de Félix. Le goût de la rue, qu'il ne connaissait plus.

— Tiens! Tu as fait réparer ton aile...

— A propos...

Tout en conduisant, Félix parlait prudemment, en observant parfois son frère dans le rétroviseur.

— Jeanne est allée *la* voir hier...

— Qu'a-t-elle dit?

— Elle a demandé des nouvelles de Jacques. Quand elle a su que Jeanne s'occupait de l'enfant avec Marthe, elle n'a pas paru contente.

« — J'avais laissé à Marthe des instructions détaillées, a-t-elle dit. D'ailleurs, j'aimerais qu'elle vienne me voir...

« Il paraît qu'elle était tout à fait calme, tout à fait comme d'habitude.

« — Maman est chez Mme Berthollat? a-t-elle demandé.

— Attention! fit François en redressant le volant.

Car Félix, tout à la conversation, avait frôlé un tombereau.

— Au moment de partir, Jeanne a commencé :

« — Écoute, Bébé... A moi, tu peux bien avouer...

« Et ta femme a répondu :

« — A toi moins qu'à quiconque, ma pauvre Jeanne... Tu ne t'es jamais aperçue

113

que nous n'avions rien de commun?... Dis à Marthe de venir me voir... Ne t'occupe pas de Jacques... »

Il était dix heures du matin. On dépassait de gros camions de livraison. On entrevit au bout d'une rue la place du Marché.

— C'est tout?

— Oui... A *la Châtaigneraie,* tout va bien... Jeanne n'est pas très contente, évidemment... Surtout au sujet de Jacques... Autant l'accuser de ne pas savoir élever les enfants... Je sais bien que... Je t'ennuie?

— Non...

Le quai des Tanneurs et la maison blanche, tout au bout, les pavés inégaux sur lesquels François avait joué aux billes. Il descendit seul de l'auto, entra, non par la porte particulière, mais par la porte du bureau.

— Bonjour, monsieur François...

— Bonjour, madame Flament...

Il l'avait oubliée, celle-là! Elle était toute rose, tout émue, une main sur un sein, à le regarder avec de gros yeux humides. Sûrement, c'était elle qui avait placé des roses sur le bureau.

— Si vous saviez comme tout le monde a été péniblement surpris quand le malheur

114

est arrivé!... Vous ne vous sentez pas trop faible?

Il lui tourna le dos et haussa les épaules. L'odeur l'accueillait, l'odeur un peu fade qui était celle de la maison, de ce bureau en particulier, et qui n'avait d'équivalent nulle part ailleurs. Le soleil avait une façon particulière de se faufiler entre les croisillons des fenêtres basses et de se refléter sur le poli des meubles. Il y avait entre autres, sur le mur, juste en dessous de l'horloge Louis-Philippe à cadre noir et or, un petit disque tremblotant qui l'intriguait quand il était petit. Après midi, le disque changeait de mur et se promenait sur la photographie représentant le Congrès des maîtres tanneurs à Paris. Son père, sur cette photographie, avait les bras croisés.

— Les Grands Bazars Nancéens ont payé, Félix?

— Cela a été dur, mais ça y est...

C'était la seule pièce de la maison qui n'eût pas changé. Les deux frères Donge avaient des bureaux modernes ailleurs, mais ici, dans la maison paternelle, c'était le point de départ de toutes leurs affaires. Les murs étaient tendus d'un papier à rayures déjà jauni. Le bureau de François était celui du père, incrusté de cuir sombre, taché d'encre violette, surmonté d'une étagère divisée en casiers.

Sur le mur, en face de lui, il avait accroché le portrait de son père aux grosses moustaches et aux cheveux drus, avec le col roide et la cravate noire des artisans endimanchés. La photographie, jadis, faisait pendant à celle de la mère dans la chambre à coucher. Quand Bébé était entrée dans la maison et avait parlé de la moderniser...

La mère, maintenant, était dans le bureau aussi, sur l'autre mur, face à Félix. Des chaises à fond de paille que François avait toujours connues...

Une odeur... Il était là, un peu absent, à reprendre lentement possession de son chez lui, de sa place, à se laisser pénétrer par l'atmosphère, et soudain cette odeur le surprenait...

— J'ai mis sur le coin du bureau une lettre personnelle...

Mme Flament, parbleu! Il avait oublié l'odeur de sa secrétaire, Mme Flament, une rousse bien en chair, l'œil vif, la lèvre humide, le corsage rempli, les reins cambrés, mais qui transpirait abondamment.

N'était-ce pas à cause d'elle que, tout au début...

La lettre, qui venait de Deauville, était

de l'écriture d'Olga Jalibert et il n'avait aucune hâte de la lire. Félix, à son bureau, triait le courrier du matin.

Un autre matin, deux mois peut-être après leur mariage, Bébé était descendue, en robe de tussor.

— Je peux entrer?

Félix était sorti. Mᵐᵉ Flament était à sa place. Elle s'était levée précipitamment, peut-être trop précipitamment, pour saluer, et elle avait fait quelques pas vers la porte.

— Où allez-vous? avait questionné François.

— Je croyais...

— Restez... Qu'est-ce qu'il y a, mon petit?

Bébé connaissait à peine ce bureau et en notait les détails.

— Je suis passée te dire bonjour, simplement... Ah! C'est ici que tu as mis les portraits...

Il l'avait vue sourciller en passant près de la secrétaire : l'odeur, sûrement.

A midi, comme ils déjeunaient en tête à tête à la table ronde de la salle à manger, elle avait demandé :

— C'est nécessaire que cette jeune fille soit dans ton bureau?

— C'est une femme mariée, Mᵐᵉ Flament... Il y a six ans qu'elle est ma secrétaire... Elle est au courant de toutes nos affaires...

— Je me demande comment tu peux supporter son odeur...

Peut-être une grande partie du mal venait-elle de cette idée ancrée en lui : sa femme était incapable de dire ou faire quelque chose sans intention. Elle parlait trop calmement, en le regardant en plein dans les yeux, comme à Royan. Cela l'irritait de l'entendre conclure :

— Enfin, tu sais mieux que moi ce que tu as à faire...

— Bien entendu!

La preuve qu'elle avait une arrière-pensée... Mais voilà! Maintenant, après tant d'années, il doutait que ce fût vraiment une preuve... Deux ou trois fois, elle s'était fait conduire par Félix dans tous les locaux... Un dimanche matin, à quelques jours de là, comme il était seul dans son bureau pour terminer un travail urgent, elle était entrée, en robe de mousseline.

— Je ne te dérange pas?

Elle allait et venait. Parfois, il entrevoyait l'éclat de ses ongles laqués qu'elle mettait chaque matin plus d'une demi-heure à soigner.

— Dis-moi, François...

— J'écoute...

— Tu ne crois pas que je pourrais aider, moi aussi?

Il l'avait regardée en fronçant les sourcils.

— Qu'est-ce que tu voudrais faire?

— Travailler dans ce bureau, avec toi...

— A la place de Mme Flament?

— Pourquoi pas? Si c'est la dactylographie qui t'effraie, je m'y mettrai vite... A Constantinople, j'avais une machine portative... Je m'amusais à taper mes lettres et...

Avec ses ongles laqués, sans doute, et ses robes fragiles comme des ailes de papillon! Elle descendrait à dix ou onze heures, fleurant le bain aux sels et les crèmes de beauté...

Ainsi, elle était jalouse de Mme Flament!

— C'est impossible, mon petit. Il faudrait des années pour te mettre au courant. D'ailleurs, ce n'est pas ta place...

— Pardon... Je n'en parlerai plus...

Il aurait pu ajouter quelques mots gentils; il ne l'avait pas fait. Il avait failli se lever, au moment où elle sortait, un peu raide, un peu tendue, la rappeler...

Non! Il ne fallait pas l'habituer à ces

119

enfantillages, sinon la vie ne serait plus possible.

Un quart d'heure plus tard, il l'entendait marcher dans leur chambre. Qu'est-ce qu'elle faisait? Sans doute prendre des mesures, assortir des tissus? C'était le moment où elle était occupée à moderniser une partie de la maison. Déjà les deux photographies, celles du père et de la mère, étaient descendues. Le soir, elle étalait des catalogues, des échantillons.

— Qu'est-ce que tu en penses, François? Cette soie est très chère, mais c'est la seule de ce vert-là...

Un vert amande, douceâtre, sa couleur favorite.

— Comme tu voudras... Tu sais que cela m'est égal...

— J'aimerais mieux avoir ton avis...

Son avis! Eh bien! son avis, c'était qu'il aurait mieux valu laisser la maison comme elle était. Est-ce qu'il avait eu tort aussi de ne pas le lui déclarer nettement? Peut-être, après tout? Il l'avait laissée s'amuser comme une enfant et pendant ce temps il était tranquille.

Il n'aimait pas la voir penser, car alors c'était parfois difficile de la suivre. En outre, il avait horreur des complications et elle compliquait tout à plaisir.

La deuxième ou la troisième semaine qu'ils étaient dans la maison, retour de Cannes, par exemple. Rien n'avait encore été changé à l'ancien mobilier. Ils dormaient dans le grand lit en noyer des parents et un papier à fleurs garnissait la chambre.

Un matin, très tôt, alors qu'un coq chantait dans la cour voisine, François s'était réveillé en sentant quelque chose d'anormal. Il était resté un bon moment immobile, comme inquiet, puis il avait ouvert les yeux et il avait vu Bébé assise sur le lit à côté de lui, occupée à le contempler,

— Qu'est-ce que tu fais?

— Rien... J'écoutais ta respiration... Elle est plus forte quand tu es tourné sur le côté gauche que sur le côté droit...

Ce n'était pas pour le mettre de bonne humeur.

— J'ai toujours mal dormi sur le côté gauche...

— Sais-tu à quoi je pensais, François?... Que désormais nous vivrons toujours ensemble, que nous vieillirons, que nous mourrons ensemble...

Elle était grave, toute mince dans sa chemise de nuit, et lui avait sommeil, car il était à peine cinq heures du matin.

— Je pensais aussi que c'est dommage que je n'aie pas connu ton père...

Ce n'était pas dommage, c'était heureux, car le rude père Donge aurait assez mal accueilli une bru comme elle. Elle ne s'en rendait donc pas compte? Elle n'avait pas vu la photographie du tanneur aux grosses moustaches qui, sur tous ses portraits, croisait farouchement les bras?

— Tu dors?

— Non...

— Je t'ennuie?

— Non...

— Je voudrais encore te demander une promesse... Mais il ne faut la faire que si tu es décidé à la tenir... Promets-moi que, quoi qu'il puisse advenir, tu seras toujours sincère avec moi... Promets-moi de toujours me dire la vérité, même si cela devait me faire de la peine... Tu comprends, François?... Ce serait trop vilain de vivre toute sa vie l'un à côté de l'autre dans le mensonge... Si tu es déçu, tu dois le dire... Si un jour tu ne m'aimes plus, tu dois le dire aussi, et nous irons chacun de notre côté... Si tu me trompes, je ne serai pas fâchée, mais je tiens à le savoir... C'est promis?

— Tu as de drôles d'idées, le matin...

— Il y a longtemps que j'y pense... Depuis que nous sommes mariés... Tu ne veux pas promettre?

— Mais oui...

— Regarde-moi dans les yeux... Que je sente que c'est une vraie promesse et que je peux compter sur toi...

— Je promets... Maintenant, dors...

Elle ne s'était peut-être pas rendormie tout de suite, mais à dix heures du matin elle dormait encore, plus sereine que d'habitude.

— Madame Flament...

— Monsieur?

— Vous appellerez le magasinier... Vous lui direz d'installer votre bureau à côté...

— Dans le débarras?

— Il n'aura qu'à mettre ses balais et ses seaux ailleurs... Il y a de la place dans la remise du fond de la cour...

Il vit la lèvre inférieure de sa secrétaire se soulever. Il regarda les fleurs sur son bureau et, quand il leva les yeux, ceux-ci étaient encore plus froids.

— Tout de suite?

— Tout de suite, oui.

— J'ai fait quelque chose de mal?

C'est à ces moments-là que, sans élever la voix, le visage presque sans expression, les prunelles comme transparentes, il était le plus terrible.

— Je ne vous ai pas dit que vous aviez fait quelque chose de mal. Appelez le magasinier et qu'il se dépêche...

Il se leva et alla appuyer son front à la fenêtre d'où il découvrait le quai de son enfance.

Il était impossible, après si longtemps, de dire exactement dans quel ordre tout s'était passé : la scène du lit d'abord, et la fameuse promesse; puis Mme Flament et son odeur... Puis cette idée biscornue de travailler au bureau comme secrétaire de son mari...

Elle n'était pas seulement jalouse des femmes, mais jalouse de son travail, jalouse de tout ce qui était en lui et qui n'était pas elle. Voilà comment il l'avait jugée!

Jusqu'à ce regret de n'avoir pas connu le vieux Donge! Et pourquoi faire, bon Dieu? Pour mieux étudier le pedigree de la famille?

Que lui avait-elle encore dit, quelques semaines plus tard? Non! C'était au moins deux mois, voire trois mois plus tard, puisque Jeanne venait d'annoncer, avec une bruyante désinvolture, qu'elle attendait famille.

— Moi qui comptais sur le mariage pour me rendre ma ligne! plaisantait Jeanne avec bonne humeur. Avec ça, maman qui est furieuse...

Félix, lui, était content. Rien ne compliquait sa vie. Sa belle-mère avait un faible pour lui, alors qu'elle regardait toujours François avec une certaine méfiance.

Un soir d'automne, François et Bébé se promenaient sur le quai, devant la maison. Les voisins en faisaient autant, par couples, par groupes. Le soleil était couché. De tout temps, François avait vu les habitants du quai prendre le frais le long de l'eau avant d'aller se coucher.

Après un très long silence, Bébé, une main posée sur le bras de son mari, avait soupiré :

— Tu ne m'en veux pas?

— De quoi?

— De ce que je t'ai demandé...

— Qu'est-ce que tu m'as demandé?

Chose étrange, il pensait qu'il s'agissait de Mme Flament et cela le mettait à nouveau de mauvaise humeur.

— Tu ne te souviens pas?... D'attendre deux ou trois ans avant de...

Et elle qui était toujours si nette, si maîtresse d'elle, se troublait. A ces moments-là, elle devenait très petite fille.

— Avant d'avoir un enfant?... C'est ça?...

Ce n'était *que* ça?

— Mais non, mon petit...

— Il faut que je te dise... Ce n'est pas tellement que je sois égoïste et que je veuille profiter de ces années... Mais j'ai peur, François...

— Peur de quoi?

— Il me semble qu'après ce ne sera plus jamais la même chose... Si cela te déplaît, si tu as envie d'en avoir un plus tôt...

Il lui avait serré le bout des doigts avec une véritable tendresse.

— Pauvre petit...

Elle se faisait des idées. D'autant plus que, s'il voulait des enfants, il n'était pas particulièrement pressé.

— Ainsi, tu me donnes encore deux ans?

Tu me donnes! Était-il donc Dieu le Père! Enfin...

— Mais oui... Deux ans, quatre ans... Tout ce que tu voudras... Qu'est-ce que tu as?

126

— Je crois qu'il commence à faire frais...

— Tu n'as jamais rien sur le corps...

— Je te demande pardon...

C'était vrai, aussi! Elle savait qu'il faisait frais le soir au bord de l'eau. Elle savait qu'il aimait cette heure de détente et de flânerie. Pourquoi, dès lors, s'habiller ridiculement d'une robe en toile d'araignée et ne jeter sur ses épaules qu'un bout de soie qui ne la réchauffait pas?

Une autre manie qui lui était venue: désormais, quand, par hasard, elle devait venir au bureau, soit pour lui demander de l'argent, soit pour toute autre raison, elle frappait à la porte. Mme Flament elle-même l'avait remarqué et chaque fois elle ne manquait pas de regarder François d'une façon entendue.

C'était d'autant plus ridicule que...

Et le reste arriva bêtement. C'était un soir d'hiver. Ils étaient allés au théâtre voir une troupe de passage. Mme d'Onneville et Félix s'y trouvaient avec Jeanne. On avait traîné, après, au Café du Centre. François et Bébé étaient revenus à pied le long des trottoirs dont les pavés sonnaient sous les pas.

Dans une encoignure, près du pont, ils étaient passés près d'un couple blotti contre le mur et si étroitement enlacé que les deux corps n'en faisaient qu'un, qu'on en devinait la moiteur.

Bébé s'était appuyée davantage au bras de son mari. Un peu plus loin, sur le quai, à cent mètres de leur maison, elle s'était tellement penchée qu'il l'avait prise dans ses bras et l'avait embrassée tendrement.

Soudain, alors qu'il ne s'y attendait pas, elle s'était dégagée, toute froide, toute nette.

— Qu'est-ce que tu as?

— Rien...

— Mais enfin, mon chéri... Il y a un instant...

Elle marchait vite. Elle attendait sur le seuil qu'il eût ouvert la porte. Elle se précipitait vers sa chambre.

— Tu ne veux pas me dire ce que tu as?

Un regard bref, aigu.

— Tu refuses?

Il avait retiré son veston, pour se mettre à l'aise.

— Écoute, François... Tu te souviens de la promesse que tu m'as faite un matin?... De tout me dire, quoi qu'il puisse arriver!... Tu es prêt à la tenir?

Une angoisse l'avait traversé.

— Je ne comprends pas...

128

— Pourquoi mens-tu?... Il est entendu qu'il n'y aura jamais de mensonge entre nous, n'est-ce pas?...

Elle paraissait très calme, très maîtresse d'elle.

— Tu ne sais vraiment pas pourquoi je t'ai repoussé tout à l'heure quand tu m'embrassais?... Prends ton veston... Tu n'as pas eu le temps de le changer pour aller au théâtre...

Il ne se doutait guère, à ce moment, que c'était toute leur vie qui se jouait. Il était assis au bord du lit. Il réfléchissait, pesait le pour et le contre, observait Bébé dont il admirait le sang-froid.

— Je t'ai déjà dit que je ne suis pas jalouse... Ce que je ne veux pas... Tu comprends?... Après, je serai ta femme comme avant, puisque je suis ta femme... En outre, tu pourras tout me raconter comme à un camarade, comme à Félix...

Il fixait le radiateur argenté qu'on venait de faire placer. Il n'avait que quelques secondes pour prendre une décision capitale.

— Il y a longtemps que Mme Flament est ta maîtresse?

Il se passa la main sur le front, puis à rebrousse-poil dans ses cheveux, se leva, resta ainsi, immobile, au milieu de la chambre.

— Réponds...

— Il y a des années que je couche avec elle, mais ce n'est pas ce qu'on appelle une maîtresse...

Silence. Comme il ne la voyait pas, il se tourna vers elle. Elle n'avait pas bougé, pas bronché. A son regard, elle répondit par un léger sourire.

— Tu vois!

— Qu'est-ce que je vois?

— Rien... J'ai toujours pensé que c'était une femme comme tu les aimes...

— Cela dépend pourquoi, répliqua-t-il crûment.

— Justement... Je l'ai si bien senti, dès le premier jour, que je frappais quand je devais entrer dans ton bureau...

— Si tu le désires, je m'en séparerai...

— Pourquoi? D'abord, ce n'est pas sa faute, à elle... Ensuite, il t'en faudrait une autre...

C'était une sensation curieuse. François se sentait comme délivré et, en même temps, il y avait dans l'atmosphère quelque chose d'insolite qui l'inquiétait, comme quand on marche sur un sol instable.

Bébé était si calme! N'était-ce pas elle

130

qui avait voulu l'épouser? Ne savait-elle pas...

— Félix est au courant? demanda-t-elle en commençant sa toilette de nuit.

— Il doit s'en douter. Nous ne parlons jamais de ces sujets-là...

— Ah!

Pourquoi ce « ah »?

— Son mari ne sait rien?

Alors François fut plus gêné. Le mari était monteur des téléphones. Un brave homme, moustachu comme le père Donge. Il lui était arrivé deux ou trois fois de réparer la ligne à la tannerie et il avait travaillé dans le bureau quand sa femme et François s'y trouvaient.

— Voilà, monsieur Donge... Je crois que, cette fois, cela ne se détraquera plus...

Et il tendait une large main, évitait, par discrétion, de dire au revoir à sa femme à qui il adressait un simple coup d'œil.

— Il ne sait rien, non.

— Et toi, cela ne te fait rien de penser que le soir... dans le lit de cet homme...

— C'est tellement moins important que tu ne crois!... Si je te disais...

— Quoi?

— Rien... C'est trop ridicule...

131

— Tu peux me le dire, puisque désormais nous sommes des camarades...

— Je ne l'ai seulement jamais appelée par son prénom... Je ne le connais pas... Tout de suite après, sans lui laisser le temps de souffler, je dicte : « ...*en réponse à votre honorée du...* vous y êtes, madame Flament?... vous verrez la date sur la lettre... *J'ai l'honneur de vous faire savoir qu'il ne nous est pas possible, dans les circonstances actuelles, de vous consentir les remises que...* »

Elle riait. Il ne voyait pas son visage penché sur la coiffeuse, mais il l'entendait rire et il sourit, satisfait, retira ses souliers.

— Vois-tu, mon chéri, cela a si peu, si peu d'importance!... Surtout que je ne suis pas ton type de femme... Avoue!...

— Cela dépend pourquoi... Il est certain que tu n'as jamais su et que sans doute tu ne sauras jamais faire l'amour... D'ailleurs, ce n'est pas cela qui compte dans la vie... Tu m'en veux?

— Pourquoi t'en voudrais-je? Tu as été franc...

— C'est toi qui me l'as demandé, n'est-ce pas?

— Oui...

Il se demanda à cet instant s'il n'avait

pas eu tort. Mais alors? Tant pis pour elle, puisqu'elle l'avait exigé?

— A quoi penses-tu? questionna-t-il en se couchant.

Ils avaient déjà les nouveaux lits, des lits jumeaux, très modernes, que Bébé avait commandés. La chambre était claire. On n'y retrouvait rien de l'ancienne maison.

— A rien... A ce que tu viens de me dire...

— Tu es triste?

— Il n'y a pas de quoi être triste...

— Si tu y tiens, cela ne m'arrivera plus... Parfois je reste des jours, des semaines sans y toucher... Puis un beau matin, sans raison...

— Je comprends...

— Tu ne peux pas comprendre, puisque tu n'es pas un homme...

Elle passa dans la salle de bains nouvellement installée. Il fallait descendre une marche. Dans la maison, il fallait toujours descendre des marches et franchir des corridors compliqués.

Elle resta longtemps. Il s'inquiéta. L'idée lui vint qu'elle pleurait peut-être. Il faillit aller voir, hésita, recula devant la scène possible.

Il eut raison, puisqu'elle revint les yeux secs, le visage impassible.

— Bonsoir, François... Dormons, maintenant...

Elle l'embrassa sur le front et, une fois couchée, éteignit la lumière.

*

Quand il se retourna, le magasinier et Mme Flament emportaient le classeur et la machine à écrire. Il les regarda comme il eût regardé des objets inanimés, soutint moins bien le coup d'œil interrogateur de Félix.

— Le contrat avec la Société des Grands Hôtels Européens? questionna-t-il pour se donner contenance.

— Je l'ai signé la semaine dernière... J'ai dû donner dix mille francs au gérant qui...

— Cinq mille auraient suffi, laissa-t-il tomber comme s'il éprouvait le besoin de se venger sur quelqu'un, fût-ce sur son frère.

Et, machinalement, il décachetait la lettre d'Olga Jalibert.

« Mon cher François,

« Je t'écris de l'Hôtel Royal, chambre

133... Cela ne te rappelle rien?... Si ce n'était pas que ma fille Jacqueline est avec moi... »

Car Olga Jalibert avait une fille de treize ans, renfermée et pointue, qui regardait Donge avec haine comme si elle eût compris... Qui sait, d'ailleurs, si elle n'avait pas compris? C'est à peine si sa mère se cachait d'elle...

« Quand j'ai appris la catastrophe, j'ai tout de suite pensé que ce que j'avais de mieux à faire était de m'éloigner pour un certain temps et, comme c'est encore la période des vacances... Gaston a été de mon avis... Nous n'avons parlé de rien, bien entendu, mais j'ai senti qu'il était inquiet et qu'il essayerait de te voir... Je viens de recevoir une lettre de lui où il m'apprend que tu te portes aussi bien qu'il est possible et que tout s'arrange assez bien...

« Je n'en reviens toujours pas du geste de Bébé... Souviens-toi cependant de ce que je t'ai dit quand tu m'as avoué qu'elle savait tout... Vois-tu, mon pauvre François, tu ne connais rien aux femmes, surtout aux jeunes filles, et celle-là est restée pour ainsi dire une jeune fille...

« Enfin! Ce qui est fait est fait... J'ai eu très peur pour toi et pour tout le monde... On ne sait jamais, dans une petite ville, où le scandale s'arrêtera...

« Puisque tu vas sortir de l'hôpital (d'après ce que Gaston m'écrit, tu en seras probablement sorti quand cette lettre t'arrivera — c'est pourquoi je l'adresse chez toi) puisque tu vas sortir de l'hôpital, dis-je, j'espère que tu trouveras le moyen de faire un saut jusqu'ici... Téléphone-moi d'avance l'heure de ton arrivée, que j'envoie Jacqueline au tennis ou ailleurs avec ses petites amies...

« J'ai beaucoup de choses à te raconter. Je m'ennuie de toi. Téléphone de préférence à l'heure des repas, sans dire ton nom, qu'on ne vienne pas le crier dans la salle à manger.

« J'ai hâte d'être dans tes bras. Je t'adore.

« Ton

« OLGA. »

— Félix!

Félix, certainement, avait reconnu, de loin, l'écriture de la lettre que François tenait toujours à la main.

— Tu n'as pas besoin de moi cet apres-midi, n'est-ce pas?

Il comprit que Félix se méprenait. Pour la première fois peut-être, il sentit un reproche dans le regard de son frère.

Alors il sourit, d'un sourire détendu qu'on lui voyait rarement, avec une toute petite pointe d'ironie. comme pour sauver les apparences.

— Je crois que je passerai la nuit à *la Châtaigneraie*... J'ai encore besoin d'un peu de repos... Tu n'as rien à dire à ta femme?

— Rien de particulier... J'irai samedi et je resterai jusqu'à lundi matin... Attends... Je crois qu'elle m'a demandé de lui rapporter du beurre sans sel...

— Je lui en porterai...

Soudain, il se passa la main sur les yeux.

— Qu'est-ce que tu as, François?

On aurait pu croire qu'il vacillait, que les forces lui manquaient.

— Rien... Laisse...

Il retirait sa main.

— Tu es encore faible...

— Oui... Un peu...

Mais Félix avait vu un léger sillon humide sur la joue.

— A demain, vieux...

— Tu pars sans déjeuner?

— Il y aura bien à manger là-bas...

— Tu crois que c'est prudent que tu conduises?

— N'aie pas peur, va!... A propos des dix mille francs que tu as donnés comme commission...

— J'ai cru bien faire...

— Justement... C'est ce que je pense... Tu as sans doute eu raison...

Félix ne comprit pas. François lui-même aurait eu de la peine à s'expliquer.

Tous deux, au même instant, tendirent l'oreille. On percevait un bruit anormal, dont il était difficile de préciser la provenance. Enfin ils se tournèrent vers la porte qui communiquait avec le réduit voisin.

C'était Mme Flament qui pleurait, toute seule dans son coin, à petits sanglots réguliers, les deux bras repliés sur sa machine à écrire, le visage dans les bras.

VI

La vue d'une petite auto blanche, à deux places, devant la barrière de *la Châtaigneraie,* suffit à interrompre soudain son envol. Car, depuis la ville, depuis le quai des Tanneurs, il volait comme à un premier rendez-vous d'amour.

Qui pouvait être en visite à *la Châtaigneraie?* La barrière était fermée. Les sourcils froncés, il descendit de voiture et l'ouvrit, jeta un coup d'œil dans le parc. Sous le parasol orange, il reconnut sa belle-sœur Jeanne affalée dans son transatlantique. Une autre femme, le chapeau sur la tête, lui faisait face dans un fauteuil de rotin, mais de loin ce n'était pour François qu'une tache de couleur.

Pour rentrer l'auto au garage, il devait passer à proximité du parasol, dans l'allée de cendrée rouge. Comme il s'avançait, un

chien danois se dressa sur la pelouse, blanc
moucheté de noir, et François comprit.
C'était Mimi Lambert qui jaillissait de son
fauteuil et qui devait dire à Jeanne :

— Je préfère ne pas le rencontrer...

Le temps de rentrer la voiture au garage
dont il ne referma pas la porte et François,
en revenant vers le parasol, apercevait sa
belle-sœur accoudéé à la barrière, Mimi
Lambert au volant de sa petite auto découverte, le chien à côté d'elle, la dépassant de
toute la tête.

On avait servi l'apéritif et le regard de
François s'arrêta machinalement sur les
verres de cristal dont l'évasement était à la
fois imprévu et raffiné. La glace les couvrait
d'une fine buée. Les zestes de citron tremblaient dans un fond de liquide d'un joli
rouge.

Jeanne s'avança vers lui, naturelle, lui
tendit la main.

— Bonjour, François. Ça va?

— Bonjour, Jeanne. Les enfants?

— Je les ai envoyés avec Marthe aux
Quatre-Sapins. Ils ne tarderont pas à rentrer.

Elle reprit place dans son transatlantique. Debout, elle était d'une activité
·lébordante mais, quand elle se reposait, elle

adoptait d'instinct, comme une bête qui s'étire, la position couchée.

— Mlle Lambert n'a pas voulu me rencontrer?

— Elle s'est enfuie, la pauvre! Il paraît que tu as été odieusement grossier avec elle...

Il était assis presque à la même place que le dimanche du drame et il se servit un verre d'apéritif qu'il dégusta lentement, en caressant la maison, le parc, la table, le parasol d'un regard à la fois lent et profond, presque voluptueux. C'était peut-être la faiblesse qui lui donnait une sensibilité à fleur de peau. Tout à l'heure, sur la route, il était si impatient d'arriver, d'apercevoir la barrière blanche, le toit rouge de *la Châtaigneraie*, que ses mains se crispaient spasmodiquement au volant.

— J'aurais aimé lui parler...

Une grande bringue, la Grande Bringue, comme on l'appelait en ville. Quel âge avait-elle maintenant? Trente-cinq ans? A vrai dire, elle n'avait pas d'âge. Elle avait toujours été la même, trop grande, solidement charpentée, le visage presque masculin, la voix grave. Elle ne portait que des costumes tailleurs qui soulignaient cette apparence masculine et chez elle, *au Mou-*

141

lin, où elle avait installé un élevage de chiens danois, elle vivait en culotte de cheval et en bottes.

Si des étrangers, qui avaient lu dans la « Vie à la Campagne » l'annonce au sujet de l'Élevage du Moulin, s'informaient de la route à suivre, les gens leur répondaient avec quelque ironie :

— C'est la maison qui se trouve au milieu du pont... Il n'y a pas moyen de se tromper...

Tout, chez Mimi Lambert, était original, ses allures, cette maison curieusement bâtie sur un pont, un peu en aval de la ville, ces énormes chiens qu'elle promenait dans des voitures trop petites, l'aménagement de son intérieur...

— Je peux te demander ce qu'elle est venue faire?

— Bien sûr!... Elle est comme les autres... C'est inouï ce que les gens peuvent être bêtes... Voilà la Lambert qui se figure qu'elle est pour quelque chose dans ce qui s'est passé...

Elle souleva un peu la tête pour observer son beau-frère qui se taisait.

— Tu m'écoutes?

— Ne fais pas attention... J'écoute... Je réfléchis...

— Elle m'a dit certaines choses que je n'ai pas comprises, parce que je ne suis pas au courant de ce qui s'est passé... Entre autres, qu'elle n'aurait pas dû faire attention à ton attitude et qu'elle aurait dû continuer à voir Bébé... C'est vrai que tu as été grossier avec elle?

C'était vrai. Mimi Lambert s'était toquée de Bébé. Au point que les mauvaises langues prétendaient qu'il n'y avait pas que de l'amitié entre les deux femmes.

François n'était pas jaloux. Ce qui l'excédait, c'était d'entrer à n'importe quel moment chez sa femme avec la certitude d'y trouver la grande bringue installée comme chez elle. A peine si elle lui disait bonjour. On lui faisait sentir qu'il était de trop. La conversation s'arrêtait net. Les deux femmes attendaient son départ. Ou encore, s'il se montrait disposé à rester, Mme Lambert se levait, baisait Bébé au front.

— Allons!... A demain, mon petit... Je t'apporterai ce que je t'ai promis...

François demandait-il ensuite :

— Qu'est-ce qu'elle t'a promis?

Bébé ne manquait pas de répondre :

— Rien... C'est sans intérêt...

Cela durait peut-être depuis quatre ans.

Des odeurs de cigarettes étrangères traînaient dans la chambre de Bébé.

Un jour, il y avait six mois de cela, François s'était montré moins patient que d'habitude. Ou plutôt, il avait agi comme il le faisait en maintes circonstances. Pendant des mois, des années, il supportait tout de quelqu'un. Puis, soudain, sa patience était à bout et il éclatait, féroce.

Cette fois-là — c'était à *la Châtaigneraie* et, fatigué par une semaine de dur travail, il avait envie de se sentir chez lui — il avait regardé froidement, durement, Mlle Lambert installée comme à demeure dans la chambre de Bébé. Avec cet air calme qui faisait si peur à ses employés et à ses ouvrières, il avait prononcé :

— Cela ne vous ferait rien, mademoiselle Lambert, de me laisser parfois seul avec ma femme?

Elle était partie sans mot dire. Elle en avait oublié son sac à main. Elle l'avait fait chercher le lendemain et on ne l'avait jamais revue.

*

— Je peux continuer à parler? Cela ne t'ennuie pas?

— Je t'en prie...

— Je disais — mais tu ne m'écoutais plus — que Mimi Lambert n'est pas une méchante personne... Seulement, je la crois terriblement romanesque, comme la plupart des vieilles filles... Elle est venue, selon son expression, m'exposer son cas de conscience... Son amitié était, pour Bébé, plus qu'un soutien... Comment a-t-elle dit au juste?... Elle était parvenue à donner un sens à sa vie... Dans ces conditions, elle n'avait pas le droit, à cause d'une vexation, surtout causée par un homme, de l'abandonner à elle-même... Pourquoi souris-tu?

— Je ne souris pas. Continue...

— Elle voudrait voir Bébé et la réconforter... Elle parle de demander un permis de visite... Je lui ai conseillé de laisser ma sœur tranquille pour le moment... C'est à qui dira le plus de bêtises au sujet de Bébé... Hier, par exemple, les dames Lourtie sont venues, comme par hasard... Tu connais Laurence Lourtie, la femme du brasseur?

Vaguement. Il connaissait toute la ville, mais certains personnages n'étaient pour lui que des silhouettes. Une forte femme au menton fuyant...

— Nous nous rencontrons à la Goutte de Lait... Elle voulait soi-disant me consulter au sujet de l'œuvre... Comme par hasard, elle avait amené dans sa voiture la petite Villard, la nièce de Me Boniface... Je les ai reçues ici, dans le jardin, et j'ai été bien obligée de leur servir le thé... Je n'avais plus de gâteaux secs...

« — *A propos de cette pauvre Bébé...*

« Et des soupirs, des sous-entendus... Mon avis, c'est que Me Boniface a envoyé sa nièce tout exprès pour savoir ce que nous pensions... Une sorte de petit complot...

« — *Certains — vous savez comment vont les langues! — prétendent qu'elle a ramené de Turquie l'habitude des stupéfiants et qu'avec une de ses amies...*

« C'est à Mimi Lambert qu'elle faisait allusion! Tu te rends compte! Bébé à seize ans, car elle avait seize ans quand nous sommes revenues en France, ayant déjà l'habitude des stupéfiants!...

« N'empêche que, selon la rumeur publique, tu t'en serais aperçu et tu aurais mis fin à ces orgies... Qu'ont-elles encore raconté?... Ah! oui... Dominique, le pharmacien, qui publie un petit journal hebdomadaire... Il affirme partout qu'il prépare un article-massue et que toute la société bourgeoise de la ville en prendra pour son grade... Tu m'écoutes?... »

François n'écoutait plus, non. Il était triste. Il venait de respirer comme une bouffée paisible et douce de l'hôpital, d'évoquer son lit blanc, sœur Adonie les mains sur le ventre, le cliquetis du chapelet et, dans la cour ombragée, les silhouettes bleuâtres des vieux qui allaient à pas lents. A peine sorti, il en avait déjà la nostalgie.

— Les enfants ne rentrent pas... remarqua-t-il en se tournant machinalement vers la haie.

— Il n'est pas tard...

Il était midi. Si Bébé avait été là, les enfants seraient déjà à table. Mais, avec Jeanne, il y avait fatalement du laisser-aller dans la maison.

— Où vas-tu, François?

— Je monte un instant...

Il avait failli répliquer :

— Je vais chez Bébé...

C'était bien cela, en effet. Il avait besoin de reprendre le contact autrement que par ce fouillis de ragots. Dès la salle à manger, toujours dans la pénombre, que parfumaient l'encaustique et les fruits mûrissants, n'était-ce pas l'ordre, la sérénité de Bébé qu'il retrouvait?

C'était elle qui avait aménagé, créé la maison. Ces chambres claires, aux tons de pastel... Ces rideaux de soie qui laissaient passer comme le plus fin, le plus capiteux du soleil...

Jusqu'à ce caractère un peu frêle, aérien, de tout ce qui était son œuvre, et qui semblait émaner d'elle.

Entre la période du quai des Tanneurs, quand elle modernisait la maison familiale, et ce qu'on aurait pu appeler l'époque de Mimi Lambert, il y avait au moins trois années. C'étaient les années où il retrouvait le moins de souvenirs vivants.

Il était, lui, en pleine force, en pleine expansion. L'élan donné à ses affaires datait de cette époque. Il avait beaucoup voyagé, seul ou en compagnie de Félix. Il y avait eu de délicates questions de capitaux à régler. Il allait droit devant lui, sans hésitation, sentant que tout lui réussirait; et tout lui réussissait en effet.

Est-ce que Bébé ne devait pas être contente? Quand il rentrait, il la trouvait avec sa mère, ou avec sa sœur. Il l'embrassait. C'était très bien ainsi. N'avait-elle pas dit qu'elle voulait être une camarade pour son mari? Il n'avait pas le temps de s'en occuper beaucoup et, quand il la trouvait mélancolique, il mettait cette humeur sur le compte de sa santé.

— Je voudrais te demander quelque chose, François...

On venait d'acheter *la Châtaigneraie* où les travaux commençaient.

— Cela t'ennuierait que nous ayons un enfant dès maintenant?

Il avait bien un peu froncé les sourcils. Il ne s'attendait pas à cette demande, surtout présentée avec sang-froid, presque comme une affaire.

— Tu veux un enfant?

— Cela me ferait plaisir...

— Dans ce cas...

A la réflexion, il en avait été satisfait. Bébé aurait une occupation. Elle serait moins seule quand il restait plusieurs jours absent.

Il la revoyait, enceinte, plus pâle que d'habitude, dirigeant les travaux du matin au soir. Il se croyait obligé de lui apporter des fleurs et des bonbons. Et, comme trois pièces étaient terminées à l'automne, elle avait insisté pour passer l'hiver à *la Châtaigneraie*.

*

— Monsieur est servi.

149

Il tressaillit. C'était Marthe qui venait d'ouvrir la porte et qui le trouvait assis sur le lit de sa femme.

— Jacques est rentré?

— Tout le monde est à table...

Il descendit. Son fils ne se leva pas, mais le regarda avec une certaine curiosité, tendit la joue et donna un baiser au hasard, ne faisant que frôler l'oreille de son père. Les enfants de Jeanne étaient là aussi, leur serviette nouée autour du cou.

— Dites bonjour à Tonton...

— Bonjour, Tonton...

Il dut détourner la tête pour cacher un léger trouble. Puis il s'assit en face de son fils. Il venait d'avoir une impression curieuse. En se penchant sur le visage de Jacques, il avait cru, l'espace d'une seconde, se pencher sur Bébé dont il avait retrouvé la pâleur, la peau diaphane et aussi cette sorte d'absence, de vie en dehors de la vie.

Pourquoi, pendant des années, en parlant du gamin, avait-il dit, sans y mettre d'intention : « ton fils »?

Il ne pouvait cependant pas le renier, grâce au nez des Donge, à ce nez long et de travers qui mettait une note discordante dans le visage de l'enfant.

Mais, à le regarder, on ne se sentait pas en présence du fils d'un homme. C'était bien le fils d'une femme, dont il avait la grâce, la faiblesse, le repliement sur soi-même...

Jacques considérait gravement son père comme on considère un étranger. Il lui arrivait de le rejoindre au jardin ou au garage, mais c'était alors pour arranger une ligne de pêche ou réparer un jouet. Jamais d'effusion. Jamais cette intimité chaude, confiante, charnelle, qui existait entre lui et sa mère.

Était-ce pour cela que François ne s'y était pas intéressé? Par tempérament, il n'aimait pas les faibles, plus exactement il les ignorait, il passait à côté sans y attacher d'importance et il avait joué davantage avec les turbulents enfants de sa belle-sœur qu'avec le sien.

— Mange, Jacques, murmurait Jeanne sans trop de conviction. Tu sais que maman ne serait pas contente si elle te voyait chipoter...

L'enfant lui jeta un sombre coup d'œil, observa son père un instant, puis se mit à manger, mais avec une sorte de mépris.

— Où vas-tu, François?

Il se levait de table bien avant la fin du

repas et se dirigeait vers l'escalier. Une impatience quasi douloureuse venait de le saisir, qui vibrait dans sa poitrine et faisait frémir ses doigts. Il avait besoin d'être seul, de chercher à nouveau, comme un maniaque, Bébé autour de lui.

Comment avait-il pu ne pas comprendre? Il arpentait l'appartement, là-haut, et pour un peu, tel un veuf, il aurait ouvert l'armoire de sa femme pour tâter le flou des robes et baiser un bout d'écharpe.

Il n'avait rien compris, jamais! Et cela datait du premier jour! Cela datait de Royan! Cela datait de Cannes! Cela datait de plus loin encore, de son enfance, de sa mère qu'il avait toujours vue trotter à travers la maison comme une fourmi ouvrière et qui disait avec respect :

— Attention!... Votre père va rentrer...

Est-ce qu'une jeune fille, parce qu'elle s'appelait d'Onneville (et encore l'apostrophe était-elle artificielle!) et parce qu'elle avait été élevée dans le quartier le plus élégant et le plus cosmopolite de Constantinople, devait être traitée autrement que la femme du tanneur Donge?

Qui avait prononcé tout à l'heure le mot romanesque? Eh bien! la vie, elle, n'est pas romanesque. Elle n'est pas faite de rêveries de jeune fille, mais de dures réalités. Bébé s'y ferait, comme chacun, et elle ne le regarderait plus s'avancer vers elle avec des yeux de gazelle effarouchée.

Il était en pleine force, en pleine ascension. Avait-il le loisir de s'inquiéter des humeurs d'une gamine? Et, puisqu'elle n'avait aucun tempérament, devait-il, lui, se passer d'amour toute sa vie?

Elle avait enfin compris? Tant mieux! Après tout, elle n'était pas si livresque qu'elle le paraissait.

Il lui donnait tout ce qu'elle désirait. Elle n'aimait pas la chambre à coucher des vieux, quai des Tanneurs? Change-la, ma fille! Du moment que tu ne touches pas à mon bureau...

Les portraits de la mère et du père Donge, des deux côtés de son lit, la choquaient? Après tout, elle ne les connaissait pas. Entendu! Il les descendrait dans son coin à lui.

Du moment qu'elle ne se mêlait pas de lui compliquer l'existence... Comme avec Mᵐᵉ Flament!... Qu'est-ce que ça pouvait lui faire, puisqu'elle n'avait pas la moindre notion du plaisir physique?...

Allons! Elle s'habituait! Elle deviendrait

pareille aux autres! Elle ne s'en porterait que mieux...

Quant à s'occuper des affaires... Non et non! Pas une femme qui passe deux ou trois heures chaque matin à sa toilette, se colle des jaunes d'œufs sur les joues pour garder son teint, tripote des crèmes de beauté et s'entoure les mains de serviettes humides pour les garder blanches!

— Ça va, mon petit?

— Ça va...

— Tu as passé une bonne journée?

— Pas trop mauvaise...

Pourquoi ne pas dire bonne, puisque cela lui aurait fait plaisir? Et toutes ces complications :

— *Cela t'ennuierait que nous n'ayons un enfant que dans deux ou trois ans?...*

« — *Tu es fâché de ce que je t'ai dit l'autre jour?...* »

Pour en arriver, un beau matin, à déclarer comme on traite une affaire :

« — *Je voudrais un enfant tout de suite...* »

Jeanne, elle, avait fait les siens comme elle mangeait des gâteaux. Et Félix n'avait jamais été ennuyé par ces regards équivoques que Bébé lui lançait, à lui, chaque fois qu'il rentrait.

154

A croire, parfois, qu'il était l'ennemi, tout au moins le gêneur. Si elle écrivait, elle s'arrangeait pour qu'il ne pût lire ce qu'elle avait écrit.

— Qu'est-ce que tu faisais?

— Rien...

— Tu t'ennuies?

— Non... Et toi?... Tu as beaucoup travaillé?

— Beaucoup...

— Tu as rencontré beaucoup de gens?...

— Tous ceux que je devais voir pour affaires...

Un long et mince sourire. A ces moments-là, il lui était arrivé d'avoir envie de la gifler. Ou alors de s'en aller en déclarant :

— Je reviendrai quand tu m'accueilleras autrement.

Il y avait eu mieux. Il rougit soudain en y pensant. Le jour où elle avait réclamé un enfant... Il trouvait cette façon de faire tellement irritante qu'il s'y était mis séance tenante. Elle n'avait pas protesté. Elle avait seulement demandé, d'une voix naturelle :

— Tu es sûr que tu es sain?

Parce que, n'est-ce pas, il avait des maîtresses! Parce qu'il couchait de temps en temps avec Mme Flament! Parce que, au cours de ses voyages, il ne se refusait pas les aventures qui se présentaient!

— Je suis parfaitement sain, ne crains rien...

Qu'avait-elle donc répondu, toujours de cette voix monotone qui choquait si fort François?

— *Alors, c'est bien!*

C'est de cela que leur fils était né!

Ce jour-là, François avait envie de lui déclarer :

— Le voilà, ton enfant... Après ça, tu deviendras peut-être une femme normale... Ah! tu as voulu être Mme Donge...

Tout à coup, alors qu'il était dans la chambre aux tons vert amande, il lança son poing dans la cloison, à le briser, en grondant avec une rage qui frisait la frénésie :

— Idiot!... Idiot!... Idiot!...

Lui! Eux! La vie!

Idiot de se heurter ainsi l'un l'autre pendant... pendant combien?... Dix ans!... Les dix meilleures années de l'existence!... Idiot de se faire mal du matin au soir... Idiot de vivre côte à côte, de dormir dans la même chambre, de faire un enfant de deux chairs et d'être incapables de se comprendre...

Il était venu à *la Châtaigneraie* pour

156

s'apaiser, pour retrouver l'image de Bébé et, devant cette image qu'il voyait partout, il était pris d'une immense indignation contre lui.

Pourquoi, oui, pourquoi, à cause de quelle aberration n'avait-il pas compris? Était-il un monstre, comme sa femme avait dû le penser? Était-il plus égoïste, plus aveugle que quiconque?

N'était-il tout simplement qu'un homme?

Il l'avait haïe, certains jours, il s'en rendait compte maintenant. Bien des soirs, il aurait pu rentrer à *la Châtaigneraie* et il avait hésité à la dernière minute, non pas pour aller retrouver quelque maîtresse, mais pour ne pas la retrouver, elle, avec son froid regard qui jugeait et condamnait. Ces soirs-là, il se couchait, tout seul, quai des Tanneurs, et il lisait dans son lit jusqu'au moment de trouver le sommeil.

— Tu as eu beaucoup de travail, hier?

— Beaucoup...

Elle ne le croyait pas. Elle était persuadée qu'il avait une nouvelle aventure. Et il était sûr, maintenant, qu'elle le reniflait, qu'elle reniflait ses vêtements, son haleine, comme pour y déceler une odeur étrangère.

Il venait du dehors, il apportait de l'air, de la vitalité du dehors, dans cette maison calme et sereine comme un couvent où Bébé vivait penchée sur un enfant malingre.

— Elle m'en veut de ma vitalité!... avait-il pensé à maintes reprises. Elle est furieuse d'être immobilisée à la campagne par la santé du petit... N'est-ce pas le sort de tant de femmes?... Est-ce que ma mère... Est-ce parce qu'elle est une d'Onneville...

Jamais un reproche. Elle était trop orgueilleuse pour adresser des reproches! Au contraire : plus elle le détestait, plus elle nourrissait de soupçons ou de griefs à son égard, et plus elle soignait les menus détails de son attitude. Sans doute voulait-elle qu'on dise en ville :

— Bébé Donge est vraiment l'épouse et la mère idéales...

Rentrait-il en auto?... Elle venait à sa rencontre jusqu'au garage, tenant Jacques par la main...

— Dis bonjour à ton père...

— Bonjour, papa...

Elle souriait, d'un sourire sans joie.

— Tu as beaucoup travaillé?

— Beaucoup...

Il en arrivait à considérer comme à double entente les phrases qu'elle prononçait. « Tu as beaucoup travaillé » ne signifiait-il pas :

158

— Tu t'es bien amusé, n'est-il pas vrai, tandis que moi, ici...

Était-ce sa faute, à lui, si elle était faible de constitution et si leur enfant poussait, blême et long, comme une asperge? Devait-il renoncer à vivre, à entreprendre, à bâtir, à mener l'existence pour laquelle il se sentait fait?

Il voyait clair. Déjà, quand il était petit, on disait de lui :

— Il a de petits yeux terribles, qui voient le fond des choses...

Eh bien! Elle était jalouse, jalouse de tout, des femmes, de son bureau, de ses affaires, des cafés où il s'attablait, de l'auto qu'il conduisait, de la liberté qu'il avait d'aller et venir à son gré, de l'air qui flottait autour de lui, de sa santé, de...

Un jour qu'il revenait, outré, vers la ville, au volant de sa voiture, et qu'il se parlait à mi-voix, il avait découvert mieux : si Bébé l'avait épousé, c'est qu'elle était jalouse de sa sœur, jalouse du couple que formaient Jeanne et Félix qui, à Royan, marchaient devant eux avec cette démarche insouciante de ceux qui se sentent déjà dans l'avenir.

Pourquoi n'aurait-elle pas un mari, ne ferait-elle pas partie d'un couple, elle aussi? Allait-elle rester seule avec sa mère? La

159

conduirait-on longtemps de plage en plage et de bal en bal avant de...

Tant pis! Il ferait comme elle. Elle avait arrangé sa vie à sa manière. Elle jouait, dans sa chambre, avec ses fards et ses onguents, comme une petite fille joue à la poupée; elle jouait avec son fils; elle jouait avec la maison, qu'elle transformait sans cesse...

Elle était correcte avec lui, mais ne lui parlait jamais d'elle-même, ni d'eux...

Il agirait de la sorte... Il arrivait désormais à *la Châtaigneraie,* se changeait, se promenait au jardin, arrangeait le tennis, attendait Félix pour faire une partie... N'était-elle pas jalouse aussi de Félix? N'étaient-ils pas les Donge, par opposition aux d'Onneville?...

Quelqu'un qui l'avait compris, c'était Olga Jalibert, qui n'était pourtant pas intelligente, mais qui avait de l'intuition.

— Le malheur pour toi, vois-tu, c'est que ta femme ne soit pas une femme, mais une jeune fille... Hélas! elle le restera toujours... Elle est incapable de te suivre... Son rêve est de descendre toute sa vie une rivière au fil de l'eau, dans un cadre poétique, en murmurant des mots d'amour à l'homme ramant en face d'elle...

Olga, elle, avait le sens des réalités. Elle avait le sens de l'amour. Elle avait surtout le sens de l'homme.

— Dans quelque temps, si tu continues, et je sais que tu continueras, tu seras le personnage le plus puissant de la ville... Alors, si tu le veux, tu iras plus loin... Souviens-toi de ce que je t'annonce aujourd'hui...

Ces mots-là, elle les prononçait, nue sur un lit, en fumant une cigarette et en caressant ses petits seins bruns qu'il venait de mordre.

— Nous aurions dû nous rencontrer plus tôt... Gaston est incapable de quoi que ce soit si on ne le pousse pas... Toi et moi, ensemble...

Est-ce que Bébé avait repéré l'odeur d'Olga Jalibert? C'était à le croire. C'était à croire que, quand il était couché, elle venait renifler sa peau.

— Je voudrais te donner un conseil, François... Ne crois pas que je sois jalouse... Tu devrais faire attention, avec Mme Jalibert... Je ne sais pas si je me trompe, mais j'ai l'impression qu'on veut t'emmener trop loin...

Tiens! Tiens! Avait-elle, par surcroît, le sens des affaires, et craignait-elle pour leur fortune? La veille, justement, Olga lui avait parlé d'un projet de clinique... de clinique dont il serait un des principaux actionnaires et qui...

— Ne crains rien... Je sais ce que je fais...

Il avait mis les fonds dans la clinique! Presque par défi!

Que pouvait-on lui reprocher? Il donnait à sa femme tout l'argent qu'elle désirait. Ses affaires étaient plus que prospères. Il venait aussi souvent que possible à *la Châtaigneraie*. Il avait des goûts simples. Il ne dépensait presque rien pour lui. Jamais ses histoires amoureuses ou passionnelles n'avaient provoqué le moindre scandale.

Qu'elle en parle donc à qui que ce soit en ville! On lui répondrait :

— Les Donge savent ce qu'ils veulent... Ils iront loin...

En dépit d'une gamine trop imaginative qui commandait à Paris des robes de plusieurs milliers de francs pour se promener seule dans un jardin perdu de campagne et qui, en compagnie d'une Mimi Lambert, entreprenait de traduire les poètes anglais.

Car c'était cela qu'elles faisaient toutes les deux! Avec autant d'acharnement que si le sort du monde en eût dépendu! Et quand

François rentrait pour se détendre par quelques heures de plein air, Clo, la cuisinière, s'effarait :

— Vous avez oublié les champignons!...

Ou le beurre sans sel, ou n'importe quoi qu'on ne trouvait pas à Ornaie.

— Vous ne voudriez pas voir le robinet de la buanderie?...

En pyjama, il allait réparer le robinet, rouler le tennis. Pendant ce temps-là, les rideaux de la chambre restaient clos jusqu'à des dix ou onze heures du matin. Bébé descendait enfin, parée comme pour une fête, avec des dessous de grande coquette, souple, onduleuse, un sourire figé aux lèvres.

— Tu n'es pas habillé, François? On va bientôt se mettre à table...

*

— Qu'est-ce que tu fais?

Il s'arrêta, surpris, se rendit compte qu'il était debout au milieu de la chambre, mais ne se souvint pas qu'un instant auparavant il arpentait celle-ci à pas rageurs.

— Qu'est-ce que tu as?

Jeanne était là, un peu effrayée, et il se

regarda dans la glace à trois faces, se trouva le visage défait, les yeux fiévreux, les cheveux hirsutes. Il avait arraché sa cravate qui pendait aux deux côtés de son col.

— Je me demande si tu as bien fait de venir ici pour te reposer... A mon avis, tu aurais été mieux chez toi, avec Félix... Tu penses trop...

Il la regarda avec un sourire amer, effarée qu'elle était, toujours soucieuse de rétablir la paix et le calme autour d'elle.

— Peut-être que si tu entreprenais un petit voyage... Nous n'avons jamais rien compris, ni les uns, ni les autres, à Bébé... Je crois qu'elle tient de son père qui... enfin, je te raconterai ça un autre jour... Maman serait furieuse...

— Dis-moi, Jeanne...

Elle fut impressionnée par la brusquerie sévère de l'apostrophe.

— Réponds franchement... Est-ce que tu as l'impression que je suis un mari comme un autre... que je suis un bon mari?...

— Mais...

— Réponds...

— Bien sûr...

— Tu as la conviction que je suis un bon mari?

— A part quelques petites histoires

qu'on raconte... Mais cela a si peu d'importance!... Je suis persuadée que Félix... Du moment que je ne le sais pas, que cela ne se passe pas sous mon toit...

— Eh bien! ma pauvre Jeanne, je suis un monstre... Je suis un imbécile... Je suis un idiot, un pauvre idiot... Tu entends?... C'est moi qui suis responsable de tout!...

— Calme-toi, François, je t'en prie... Les enfants sont en bas à goûter... Jacques est nerveux ces derniers jours... Hier encore, il m'a demandé...

— Eh bien?

— Il m'a demandé... Tu m'effraies un peu... Enfin! Tant pis... Il m'a demandé quel crime sa maman avait commis... Je n'ai su que lui répondre...

— Ce qu'il faut lui répondre?... Que sa maman a commis le crime de trop aimer son père... Tu as compris?...

— François!

— N'aie pas peur... Je ne suis pas devenu fou... Je sais ce que je dis... Va, maintenant!... Laisse-moi encore un moment... Tout à l'heure, je descendrai et je serai plus calme... Au fait, ne dis rien à Jacques... C'est moi qui lui parlerai, un jour... Si tu savais, ma pauvre Jeanne, ce que les hommes peuvent être idiots!...

Et il répéta, retenant son poing qu'il avait envie de lancer à nouveau contre le mur :

— Idiots!... Idiots!... Idiots!...

VII

— Tu y tiens vraiment?... C'est si peu intéressant, vois-tu! Ils ont essayé d'être heureux, comme vous, comme nous... Ils ont fait tout leur possible... A présent, papa est mort... Et à cette heure-ci...

L'haleine fraîche de la nuit entrait par la fenêtre ouverte. La lune commençait à se montrer au-dessus de la masse noire des arbres. Les enfants étaient couchés. Les bonnes, dans la cuisine, achevaient la vaisselle.

De Jeanne, on ne voyait, au fond du fauteuil, qu'une forme claire et le point brillant de la cigarette dont l'odeur se mélangeait avec l'odeur forte de la nuit.

— ... à cette heure-ci, maman, dans son grand manteau blanc, quitte la pension Berthollat et, le long de la Promenade des Anglais, où tous les bancs sont occupés, se dirige dignement vers le Casino de la Jetée... Si ses rhumatismes l'ont reprise, comme cela lui arrive presque toujours dans le Midi, elle marche avec une canne, ce qui lui donne, je ne sais pourquoi, l'air d'une grande dame en exil... Parfois, quand elle ne joue pas à la boule, elle a l'air d'une reine, maman...

François ne bougeait pas, ne fumait pas, ne faisait pas le moindre bruit et, comme il était vêtu de sombre, on devinait à peine sa présence, à la tache vaguement laiteuse du visage.

— On ferait mieux de fermer la fenêtre... Faible comme tu l'es...

— Je n'ai pas froid...

D'ailleurs, il s'était enveloppé d'un plaid, comme un vrai malade. Tout à l'heure, là-haut, alors que Jeanne était auprès de lui, il avait eu une syncope. Très brève, il est vrai. Jeanne avait à peine eu le temps de décrocher le téléphone pour appeler le docteur Pinaud qu'il était revenu à lui.

— Ce n'est pas la peine...

Levert, à l'hôpital, lui avait ordonné des pilules en prévision de ces petits accidents et il lui suffit d'en prendre une. Maintenant, il était en veilleuse, comme un convalescent. Il avait voulu cette pièce obscure, cette baie ouverte sur la nuit, du côté des arbres, cette odeur d'humus et le chant obstiné des grillons.

— Si tu connaissais Stamboul, tu comprendrais plus facilement... Toute la colonie étrangère vit sur la colline, à Péra, où s'est bâtie une ville moderne... Nous habitions un grand appartement, dans un immeuble de sept étages, tout neuf, tout blanc, et nos fenêtres donnaient sur les toits de la ville indigène et sur la Corne d'Or... Bébé ne t'a jamais montré de photographies?

Peut-être, jadis, mais il n'y avait pas fait attention. Les premiers mots de Jeanne le laissaient rêveur. Bébé, elle, tout au début de leur mariage, ne lui avait-elle pas dit :

— J'aurais aimé connaître ton père...

Or, voilà qu'après dix ans il avait une curiosité identique!

— Je crois que maintenant la vie en Turquie n'est plus la même. De notre temps, elle était fort brillante. Maman était belle. Elle passait pour une des plus belles femmes de Péra. Papa était grand, mince; il avait la démarche aristocratique, du moins je l'ai toujours entendu dire...

— Comment avait-il débuté?

— Il était arrivé là-bas comme ingénieur... Si ma pauvre maman savait que je

169

te raconte tout ça!... Enfin!... Tu es sûr que je ne ferais pas mieux de fermer la fenêtre?... Tu ne veux pas que je dise à Clo de te préparer une boisson chaude?... La carrière de papa, à Constantinople, a été rapide... On affirme, et je crois que c'est vrai, que c'est en réalité maman qui l'a faite... L'ambassadeur de France, à cette époque, était célibataire... Nous fréquentions l'ambassade où il y avait sans cesse des dîners ou des déjeuners... L'ambassadeur demandait conseil à maman pour ceci, pour cela... A la fin, c'était elle la véritable maîtresse de maison... Tu comprends?

— Et ton père?

— Un détail amusant qui me revient... Maman l'a obligé, dès qu'il a été nommé directeur des docks, à porter monocle, ce qui a valu un tic nerveux à papa... Tu veux savoir s'il soupçonnait la vérité?... Je l'ignore... J'étais trop jeune... Je vivais plutôt avec les domestiques... Nous en avions trois ou quatre... Notre maison était la maison du désordre... Maman s'habillait, appelait tout le monde, courait à travers les pièces et l'on téléphonait, et il y avait sans cesse des visites, et on ne retrouvait plus sa bague, ou bien la robe n'était pas livrée à temps...

« — A quelle heure monsieur est-il sorti?... Demandez-moi son bureau...

« — Allô! Allô!... M. d'Onneville est-il là?... Ici, Mme d'Onneville... Il n'est pas arrivé?... Je vous remercie...

« Car maman était jalouse, d'une jalousie frénétique. Grâce au téléphone, elle suivait mon père à la piste à travers la ville.

« — Allô! Vous n'avez pas encore vu M. d'Onneville?... Il sort de chez vous?... Non, rien, merci...

« Et mon pauvre papa n'élevait jamais la voix... Il était comme un grand lévrier élégant et docile et, quand il se trouvait trop embarrassé, il essuyait longuement son monocle tandis qu'un tic nerveux agitait sa paupière.

« — Si tu sors, prends au moins une des filles avec toi...

« Il a commencé par moi puis, lorsque je suis entrée en pension, c'est Bébé qui m'a remplacée dans ce rôle de chaperon...

— Donne-moi une cigarette, veux-tu?

— Cela ne te fera pas de mal?

— Mais non!

Il était détendu. Sa faiblesse même lui procurait comme un apaisement et il aspirait la nuit à pleins poumons sans savoir si c'était la nuit de *la Châtaigneraie*, celle de la Baie des Anges ou la nuit du Bosphore.

— Continue...

— Que veux-tu que je te dise?... Papa nous emmenait l'une ou l'autre, parfois les deux, puisqu'il le fallait... Bientôt, on le voyait embarrassé...

« — J'ai une petite course à faire, mes enfants... Je vais vous laisser un moment dans une pâtisserie... Seulement, il ne faudra pas le dire à votre mère...

« C'était parfois difficile car, au retour, maman nous questionnait. Il fallait tout lui raconter par le menu, le chemin que nous avions suivi, les personnes que nous avions rencontrées...

« — Comment se fait-il que tu aies encore dépensé trois cents francs en deux jours?

« — Je t'assure...

« Tout cela pendant qu'ils s'habillaient pour un dîner... Il y en avait presque chaque jour, dans une ambassade, dans une légation, chez un banquier ou chez quelque riche Israélite... Nous restions avec les bonnes...

« A la fin, maman est devenue encore plus terrible, mais je n'étais plus là... J'étais

172

chez les Ursulines, à Thérapia... C'est Bébé...

« Tu es content, à présent?

« Papa a dû tricher toute sa vie, du matin au soir, se cacher, calculer, échafauder des mensonges grands et petits, obtenir des complicités, y compris celle des domestiques.

« — Ne dites pas à madame que...

« Puis il est mort... On a cru que maman deviendrait Madame l'Ambassadrice, mais il n'en a rien été et nous sommes revenues en France... Tu comprends maintenant que ma pauvre maman, ici, soit comme une âme en peine?... Elle était la belle Mme d'Onneville... Elle régnait... Elle commandait... Et voilà que tout d'un coup elle n'est plus qu'une grosse personne d'âge mûr dans une ville de province... Je voulais lui acheter un chien pour lui tenir compagnie... Sais-tu ce qu'elle m'a répondu?

« — C'est cela! Toi aussi!... Pour que j'aie tout à fait l'air d'une vieille femme... Merci, ma fille!... Quand j'en serai là, je crois que j'aimerai mieux mourir... »

Au-dessus d'eux, on entendait Jacques s'agiter dans son lit, car il avait rarement un sommeil paisible.

— On naît chacun dans une famille,

n'est-ce pas? conclut Jeanne avec une fausse indifférence. Chaque famille a sa façon de vivre... Chez nous, chacun vivait de son côté... On se rencontrait comme par hasard... Tiens! On s'entrechoquait un peu comme les billes sur un billard, au petit bonheur, puis on repartait dans un autre sens... Quand le désordre est de tous les jours, on ne s'en aperçoit plus et on n'en est pas malheureux...

François avait les yeux tournés vers elle. Il ne voyait qu'une tache blanchâtre, celle de sa robe. Il lui semblait pourtant qu'il découvrait soudain sa belle-sœur. Il ne s'était jamais inquiété d'elle. Faisait-il attention à ce qui n'était pas lui, à ce qui ne le touchait pas directement? Il l'avait toujours prise pour une bonne fille remuante qui fumait des cigarettes et qui, d'une voix un peu aiguë, parlait à tort et à travers.

— Bébé était déjà renfermée? questionna-t-il après un moment d'hésitation.

— Elle a toujours été la même... La vérité, c'est que je la connaissais à peine... Elle était trop petite pour moi... Elle me chipait mes boîtes à poudre, mes parfums, mes crèmes... Elle a eu, dès sa plus tendre enfance, la passion de la toilette... Quand on ne l'entendait pas, on était sûr de la trouver enfermée dans sa chambre, essayant devant le miroir des robes ou des chapeaux qu'elle avait pris à maman ou à moi et qu'elle chiffonnait à sa façon... A part cela, je crois que je ne l'ai jamais vue jouer... Elle n'a pas eu de poupées... Elle n'a pas eu, comme moi, de petites amies...

« Il est vrai qu'elle n'a connu, elle, que la plus mauvaise période, quand les scènes entre maman et papa devenaient si fréquentes que c'en était une hantise... Par le fait, on l'a laissée continuellement avec les bonnes...

— Qu'est-ce qu'il y a? questionna François.

Il avait perçu un fléchissement, comme une hésitation dans la voix de sa belle-sœur.

— Peu importe, maintenant, que je le raconte... Ce que je me demande, c'est comment elle a pu garder ça pour elle si longtemps... Je me demande même si... Figure-toi qu'un jour, il y a quatre ou cinq ans... Pas davantage... Jacques marchait déjà seul... Elle est venue chez nous avec son fils, alors que je rangeais de vieilles photographies... Tout naturellement, je les lui montrais une à une...

« — Tu te souviens d'Untel?... Je le croyais plus grand que cela...

« Puis j'ai retrouvé une photographie d'elle, alors qu'elle pouvait avoir treize ans. Sur la même photo, on voyait une des bonnes, une Grecque, dont je ne me rappelle plus le nom...

« — Dire que tu as été comme ça, ma fille! ai-je lancé à Bébé.

« Je l'ai vue rougir. Elle a saisi la photographie et l'a déchirée nerveusement.

« — Qu'est-ce qui te prend?

« — Je ne veux pas me souvenir de cette fille...

« — Elle n'était pas gentille avec toi?

« — Si tu savais...

« Et je vois Bébé marcher de long en large, un pli amer aux lèvres.

« — Écoute... Aujourd'hui, je peux bien t'en parler...

« Pauvre Bébé! Elle en redevenait tremblante...

— Donne-moi une autre cigarette... Tu ne veux vraiment pas que je ferme la fenêtre?... Le brouillard se lève...

Une vapeur montait de l'herbe humide et formait une fine nappe à un mètre à peine du sol, avec des étirements, des déchirures.

— Je ne sais pas ce que j'aurais fait à sa place, mais je pense que je ne me serais pas tue... Il est vrai qu'elle n'avait que douze ans... On l'avait laissée seule une fois de plus à la maison avec une des bonnes, la Grecque, justement... Par jeu, ou pour une raison quelconque, Bébé s'était cachée dans la lingerie... Un peu plus tard, la Grecque est entrée dans la pièce avec son amant, un agent de police, à ce que j'ai cru comprendre... J'imagine l'effet que ça a dû lui faire... Elle n'osait pas crier... Elle n'osait pas bouger... A certain moment, l'homme a dit :

« — Il me semble qu'il y a quelqu'un...

« Et la bonne a répondu :

« — Si c'est la petite, tant pis pour elle... Elle en a assez vu pour qu'on ne se gêne pas devant elle...

« Bébé en a été malade pendant plusieurs jours. Pourtant, elle n'a rien dit à ma mère, ni à personne... »

Pourquoi François évoquait-il la scène de Cannes, quand il s'était dirigé vers la fenêtre et avait fumé une cigarette?

— Je ne vois rien d'autre... soupira Jeanne. Nous ferions mieux d'aller dormir...

— Reste encore un moment, veux-tu?

La voix de François était affectueuse. Jamais il ne s'était senti ainsi en intimité avec sa belle-sœur. Il lui semblait qu'il la découvrait, qu'il avait désormais une amie.

— Elle ne t'a jamais parlé de moi?

— Dans quel sens?

— Je ne sais pas... Elle aurait pu se plaindre... Elle aurait pu...

— Vous vous disputiez parfois?

— Jamais...

C'était au tour de Jeanne de devenir rêveuse.

— C'est curieux, la différence entre deux frères.... Il est vrai qu'on pourrait en dire autant de la différence entre deux sœurs... Vous aviez l'air, Bébé et toi, de gens heureux, qui ne se compliquent pas l'existence... A quoi bon?... Regarde Félix et moi... Il va, il vient... Je vais, je viens... Nous sommes ensemble et nous sommes contents... Il part et nous sommes encore contents... Qu'est-ce qui arriverait si on cherchait à...

— A quoi? demanda-t-il doucement comme elle laissait sa phrase en suspens.

— Zut! Est-ce que je sais, moi?...

Elle s'était levée. On eût dit qu'elle s'ébrouait, qu'elle secouait l'humidité de la nuit qui les pénétrait tous les deux comme d'une mystérieuse angoisse.

— A quoi bon se poser sans cesse des questions?... Nous faisons tous notre possible, comme nos parents ont fait leur possible, comme nos enfants feront leur possible... Allons! Lève-toi... Je crois que je ferais mieux de te mettre dans ton lit...

— Bébé a été très malheureuse... murmura François toujours immobile.

— Tant pis pour elle!... On fait chacun son bonheur ou son malheur...

— Ou bien ce sont les autres qui le font...

— Qu'est-ce que tu veux dire? C'est toi qui l'as rendue malheureuse? C'est à cause d'Olga que tu parles ainsi? Tu crois que c'est parce qu'elle a découvert la vérité que Bébé a agi comme elle a agi?

— Non...

— Alors? Est-ce que je demande à Félix ce qu'il a fait quand il revient d'un voyage d'affaires? Je ne veux pas le savoir! Je le lui ai déclaré une fois : du moment que je ne vois rien, que cela ne se passe pas chez moi, du moment que...

— Tu mens...

— Non, je ne mens pas!

Elle cria presque ces derniers mots en frappant du pied par terre.

— Tu sais bien que tu mens...

— Et après? A quoi cela servirait-il de... Dis-moi, François... Vous avez été ainsi toute votre vie, Bébé et toi... Vous passiez des heures à vous interroger sur vous-mêmes et à vous demander si... et si...

— Non, justement!...

— Pourquoi, *justement?*

— Bébé a toujours vécu toute seule...

— Est-ce que tout le monde ne vit pas seul?... Allons! Viens... Sinon, tu vas encore tomber en syncope...

D'autorité, elle ferma la fenêtre, tourna le commutateur électrique. Inondés de lumière, ils évitèrent de se regarder en face.

— Tu ne dois pas prendre une pilule avant de te coucher? Tu es sûr qu'une tisane chaude ne te ferait pas de bien? Bon! Voilà que les filles sont montées se coucher...

Elle avait et venait, s'efforçait de reprendre son air bon enfant.

— Debout, François!... Demain...

Demain, quoi?

Pourquoi s'était-il donc hérissé quand Bébé, presque humblement, timidement en tout cas, à peine entrée dans la maison du quai des Tanneurs, avait murmuré en regardant le portrait du père Donge aux grosses moustaches.

— J'aurais aimé connaître ton père...

Et ce n'était pas un mot en l'air. Bébé ne prononçait jamais de paroles vaines, comme

180

sa sœur, qui avait toujours l'air de s'ébrouer. Ce n'était pas davantage une politesse.

Bébé avait conscience de venir de loin et d'apporter avec elle, en elle, un peu de son père qui mendiait la complicité de ses filles, de sa mère à la splendide inconscience, d'un Péra agité de fêtes et de langueurs.

Pendant dix-huit ans, son petit cerveau avait travaillé tout seul et, toute seule aussi, elle avait tenté d'effacer le vilain souvenir de la Grecque et de l'agent de police s'étreignant sordidement sur la table à repasser de la lingerie.

Aussi, à Royan, l'avait-elle mis à l'aise. Elle avait tout de suite compris le rôle de la petite danseuse, Betty ou Daisy. Elle le lui avait dit...

Ce n'était pas le mariage qu'elle cherchait, comme il l'avait cru orgueilleusement. Le mariage, elle en avait eu un exemple sous les yeux. Ce n'était pas non plus l'accouplement dont le souvenir la faisait encore pâlir.

Elle était entrée, toute droite, figée par l'angoisse, dans la maison du quai des Tanneurs. Elle y était entrée avec l'homme qui allait être, pour toujours, son compagnon. Elle avait regardé les murs, tâté la

181

densité de l'air, s'était pénétrée des odeurs familières et, devant les portraits, elle avait murmuré :

— J'aurais aimé connaître ton père...

Parce qu'alors il eût peut-être été plus facile de se comprendre.

Elle était descendue au bureau et elle avait caressé du regard la place où François s'asseyait chaque jour, le carré de quai qu'il avait sans cesse sous les yeux.

— Tu ne veux pas que?...

Et lui n'avait rien compris! Est-ce que la place de sa femme n'était pas là-haut dans l'appartement? Qu'elle arrange la maison à sa guise! Qu'elle fasse son métier d'épouse, qu'elle voie les fournisseurs, les peintres, les décorateurs et les ébénistes, qu'elle donne des ordres à la cuisinière et qu'elle essaie de se créer des relations en ville.

Il le lui avait conseillé.

— Quand tu auras quelques amies, ce qui ne tardera pas, tu ne t'ennuieras plus...

— Je ne m'ennuie pas...

Jeanne, maternelle, allumait sa lampe de chevet, s'assurait qu'il y avait de l'eau dans la carafe et que la couverture était faite.

— Tu me promets de te coucher tout de suite? Je peux te laisser?...

Il aurait voulu l'embrasser sur les deux

joues. Pendant plus de dix ans, il l'avait prise pour une grosse fille sans intérêt! Voilà donc pourquoi elle s'occupait de tant d'œuvres où elle passait pour brouillon!

— Ne pense pas trop, va, cela vaudra mieux!... Bonsoir, François...

Elle passa dans la chambre de Jacques s'assurer que celui-ci dormait et ne s'était pas découvert, puis dans celle de ses enfants, et enfin il l'entendit qui se déshabillait dans la sienne et qui se mettait lourdement au lit où, avant de s'abandonner au sommeil, elle allait encore fumer une cigarette.

Était-ce à Mme Flament qu'il fallait remonter? A cette idée, François avait le front moite. Cela lui paraissait impossible, monstrueux. S'il en était ainsi, c'était à désespérer de tout. Penser que, parce qu'à certain moment un besoin physique sans importance naissait en lui et commandait ses actes...

A Cannes, quand il ramait gauchement, gêné par les regards ironiques des matelots des yachts?

C'était si humain! La fatigue d'une nuit en chemin de fer, après les cérémonies du mariage et le banquet traditionnel... Le désir légitime d'entrer enfin en possession de sa femme... Un vieux fond de tradition...

Était-ce adroit d'exiger cette promenade en barque? Jusqu'à la silhouette de Bébé, à cet instant, trop romantique...

Mais alors, s'il suffisait de cela...

Il ne dormait pas. Il se tournait et se retournait dans son lit et se disait que Jeanne devait guetter les bruits, par crainte d'une nouvelle syncope. Or, s'il avait eu une syncope, l'après-midi, c'était de rage, parce que...

Il n'enrageait plus. Il s'efforçait de comprendre, gravement, presque scientifiquement. Il avait horreur du vague, des demi-solutions. Il avait toujours passé pour un homme positif.

Ce n'était pas à Bébé qu'il pensait. Ce n'était plus Bébé le problème. C'était lui.

Pourquoi, par quelle aberration avait-il vécu si longtemps auprès d'elle sans la comprendre? Comment avait-il été capable de se méprendre sur son compte au point de la haïr?

— J'aurais aimé connaître ton père...

Cela n'indiquait-il pas qu'elle, de son côté, avait fait un effort? Maintenant, il en découvrait cent preuves qu'il n'avait pas comprises sur le moment.

Quand, par exemple, elle était assise à

côté d'un François endormi, à la respiration difficile...

Il était l'homme. Il était désormais le compagnon. Elle ne savait rien, ou presque rien de lui. Et il dormait là, contre sa peau, contre sa chair. Il respirait. Les yeux clos, il rêvait peut-être et elle ignorait tout de ses rêves. Même quand ses yeux étaient ouverts, pouvait-elle pénétrer sa pensée?

— Je pense que nous vivrons toute notre vie ensemble...

Elle avait vu deux êtres, son père et sa mère, vivre ensemble. Elle avait été leur témoin, presque leur complice.

— Promets-moi que, quoi qu'il arrive, tu me diras toujours la vérité...

Il se retourna encore dans les draps moites, en proie à une dernière révolte.

— A quoi bon remuer tout cela? soupirait philosophiquement Jeanne dans le clair-obscur. Chacun fait son possible... Quand Félix revient d'un voyage d'affaires...

Pourquoi n'était-ce pas Jeanne qui avait raison? Était-elle malheureuse? Est-ce que Félix était malheureux? Leurs enfants ne poussaient-ils pas aussi candidement que des plantes?

N'était-ce pas Bébé qui avait tort d'aspirer à l'impossible, tort de...

Machinalement, il tendait les bras et il eût tout donné, à cette minute, pour rencontrer le corps mince de sa femme, dont la mollesse l'avait si profondément déçu. Il lui semblait que, si elle avait été là, s'il avait pu la serrer contre lui, ils auraient connu l'un et l'autre une étreinte comme on n'en vit qu'en rêve, un bondissement d'âmes dégagées de toute matérialité...

Il suait. Depuis son accident, il suait davantage et sa sueur avait une odeur forte. Quai des Tanneurs aussi rôdaient depuis toujours des senteurs robustes, entre autres celle du tannin, auxquelles, de tout temps, il était habitué. A tel point qu'au retour d'un voyage il respirait ces relents familiers avec délices, comme on retrouve à la campagne l'odeur du fumier et des bûches qui crépitent.

Peut-être aurait-il suffi de la prendre par la main?... Mais Félix avait-il eu besoin de prendre Jeanne par la main?... Son père avait-il pris sa mère par la main?... Avaient-ils été malheureux pour autant?... Peut-on à la fois faire œuvre d'homme, monter des usines, une fromagerie, un élevage de porcs et...

Non! Il n'avait pas raison! Il découvrait de bonnes raisons, mais il n'avait pas raison! On n'a pas le droit de prendre un être, une jeune fille insouciante, sur la plage de Royan, de l'amener dans une maison et là, soudain, de l'abandonner à sa solitude.

Pas même à *sa* solitude! A la solitude dans une atmosphère étrangère et qui peut paraître hostile!

Comment avait-il pu croire que le fait d'être sa femme pût suffire à Bébé?

Encore un souvenir. Encore un indice qui lui avait échappé, non plus sur la mentalité de Bébé, mais sur la sienne. Elle était à la clinique. Elle attendait le bébé d'une heure à l'autre. Il s'était imposé d'assister tout au moins aux premières heures de l'accouchement. Il lui tenait la main. Il était mal assis. Il ne parvenait pas à s'abstraire complètement de la vie du dehors. Entre deux douleurs, elle lui avait demandé, presque suppliante :

— Tu m'aimes quand même un peu, François?

Et il avait répondu sans hésitation, persuadé qu'il avait raison :

— Si je ne t'aimais pas tout à fait, je ne t'aurais pas épousée...

Elle avait détourné la tête et l'instant

d'après son visage se crispait à nouveau sous le coup d'une douleur.

Quelques heures après, encore assommée par l'anesthésie, quand elle avait ouvert des yeux qui voyaient mal et qu'on lui avait présenté son enfant, son premier mot n'avait-il pas été :

— Est-ce qu'il te ressemble?

Il en avait eu les larmes aux yeux. En quittant la clinique, dix minutes plus tard, il lui restait du vague dans la poitrine. Alors, il avait tiré de sa poche la clef de sa voiture. Il avait mis celle-ci en marche. Il avait foncé dans le soleil qui inondait la rue.

Cent mètres plus loin, c'était fini, oublié. Il était à nouveau François Donge. Il reprenait solidement pied dans ce qu'il considérait comme la réalité.

Combien de temps s'était-elle ainsi débattue contre le vide?

Elle lui faisait penser, maintenant, à une mouche qu'il avait vue tomber, un soir, dans le ruisseau de *la Châtaigneraie*. D'abord la mouche n'avait pas cru à l'inévitable. Elle avait agité les pattes, battu des ailes comme si un effort était encore capable de la rendre à l'air libre. Ces mouvements la faisaient tourner en rond (il y avait une feuille de chêne qui formait un îlot flottant sur lequel François pensa qu'elle parviendrait à prendre pied).

Un temps d'immobilité. Peut-être la fatigue? Peut-être la prudence? Ne pas user toutes ses forces? Puis, à nouveau, une lutte désespérée, un effort prodigieux, des cercles de plus en plus larges sur l'eau moirée.

Mais les ailes, déjà, étaient mouillées. Les remous étaient plus en profondeur qu'en surface. Quel gouffre infini, pour elle, représentait la sombre eau glacée qui n'était que comme un trou noir?

François avait l'épaule contre le tronc incliné d'un saule. Il fumait une cigarette.

— Si un poisson...

Se doutait-elle que la feuille de chêne était le salut? Elle agitait toutes ses petites pattes, mais celles-ci, détrempées, avaient de moins en moins de prise sur l'eau. François aurait pu couper une baguette, pousser la feuille vers la mouche.

Il avait préféré voir jusqu'au bout... Il n'avait pas assisté à la fin, d'ailleurs. Épuisée, après des minutes d'une immobilité qui ressemblait à la mort, la mouche bougeait à nouveau.

— François!... François!... avait crié

Jeanne qui était à *la Châlaigneraie* ce jour-là. On mange!...

Bébé n'avait-elle pas essayé cent fois, mille fois... Ce qu'il avait pris pour de l'indifférence, ou pour de la sagesse...

Elle avait accepté Mme Flament... Chaque soir, il en était sûr, tandis qu'il la baisait au front ou sur la joue, d'un geste machinal, elle devait le respirer profondément, se demander si ce jour-là...

Et il était gai, allègre, plein d'entrain. Il avait bien travaillé. Les affaires tournaient rond. La volonté des Donge créait du nouveau dans la ville. Cent, deux cents, cinq cents personnes désormais vivaient des Donge, de l'effort Donge, de l'effort de François et de son frère.

— Depuis ce matin, nous sommes les fournisseurs officiels de l'Intendance...

— Ah!

Elle souriait comme par politesse et il lui en voulait de ne pas partager son enthousiasme. N'avait-elle pas passé toute sa journée dans sa mare glacée de solitude?

— Cela ne te fait pas plaisir?

— Mais si... Tu sors, ce soir?

— Il faut que j'aille voir mon avocat, à cause du contrat...

— Je voulais te montrer les rideaux que j'ai choisis pour le petit salon...

Un geste vague. Cela la regardait, elle seule. S'il devait encore s'occuper des rideaux du petit salon! Ceux qui y étaient jadis et qui dataient de ses parents n'étaient-ils pas assez bons pour lui?

— Je rentrerai assez tard... Ne m'attends pas...

Et toujours, en lui, dans les plis de ses vêtements, dans la respiration de sa peau, il apportait de l'air vivifiant du dehors dont elle ne respirait que comme des relents.

— Tu dors?

Elle ne répondait pas. Il savait qu'elle ne dormait pas. Cela l'irritait et, cependant, si elle faisait semblant de dormir, c'était pour ne pas lui laisser voir qu'elle avait veillé en l'attendant, en guettant. les moindres bruits...

Il n'avait rien compris!

— Si je ne t'aimais pas, je ne t'aurais pas épousée...

Donc, puisqu'il l'avait épousée...

Un trait de lumière qui s'élargissait. Une silhouette molle, des cheveux sur des épingles.

— Écoute, François, grondait Jeanne. Tu ferais mieux de prendre un médicament

191

pour dormir... Il y a une heure que je
t'entends soupirer, te tourner et te retourner dans ton lit... Je vais t'en mettre vingt
gouttes... Bois!... Si cela continue, toute la
maisonnée aura les nerfs aussi détraqués
que ma pauvre sœur...

VIII

— Asseyez-vous, monsieur Donge...

Et Me Boniface laissait passer un silence, comme au prétoire, le meublait d'une prise de tabac dont il se barbouillait les narines, regardait Donge aussi férocement qu'un examinateur observe un candidat.

— Je pense que nous nous sommes rencontrés chez ma belle-sœur Desprez-Mouligne, n'est-ce pas?

— C'était mon frère, Félix...

Sans doute Me Boniface avait-il pris l'habitude de priser faute de pouvoir fumer au Palais de Justice. Il prisait salement. Des grains de tabac étoilaient sa barbe grise et son plastron. Au Palais, sa robe était la plus luisante. Ses ongles n'étaient pas entretenus. Il portait sa crasse d'une façon presque agressive, comme le signe extérieur de son intégrité.

François avait été accueilli par la servante la plus revêche et la plus laide de la ville. Le vaste corridor était peint en faux marbre qui avait pris la couleur d'une vieille bille de billard et des odeurs de vaisselle traînaient dans la maison.

Me Boniface était veuf. Sa fille unique était bossue. Par crainte, sans doute, que son cabinet, pourtant assombri par des meubles noirs, parût trop gai, il avait fait poser des vitraux jusqu'à mi-hauteur des fenêtres.

— Il est bien entendu que, si vous vous étiez porté partie civile ou si vous aviez été cité par le ministère public, je ne vous aurais pas demandé de venir me voir...

François était aussi intimidé, aussi perdu que le premier jour qu'il était allé à l'école. C'était la première fois qu'il reprenait contact, en dehors de sa famille, avec le monde extérieur, et le cabinet de l'avocat était lugubre comme l'antichambre du Palais de Justice. On s'y sentait matière judiciaire, une matière que Me Boniface allait commencer à brasser avec une calme et féroce énergie.

Le tapis était usé, le bureau encombré; l'air sentait le très vieux papier.

Lentement, en y mettant la même éloquence que dans sa façon de priser, Me Boniface déployait un vaste mouchoir, y enfouissait son nez et soufflait bruyamment par trois, par quatre, par cinq fois, regardait avec intérêt le résultat obtenu et repliait le mouchoir avec soin.

Un autre détail mettait François en état d'infériorité : il n'avait jamais fait appel, soit comme conseil, soit dans les procès civils que ses affaires entraînaient, à Me Boniface, mais bien à un jeune avocat que le maître devait mépriser. Il avait envie de s'en excuser. C'était impardonnable. Me Boniface était le seul avocat de la ville, le seul digne de ce nom, l'avocat de toutes les familles qui comptaient quelque peu et dont il connaissait les secrets mieux qu'un confesseur.

— Votre belle-mère est une Chartier, je pense?... Figurez-vous que je l'ai connue quelque peu quand j'étais jeune... Elle avait un frère, Fernand, qui était lieutenant de cavalerie à Saumur où j'avais un cousin. Ce cousin avait hérité une petite propriété à quelques kilomètres de la maison des Chartier. Le père Chartier était trésorier-payeur... Je me souviens qu'il avait la goutte... Quant à Fernand Chartier, il a eu une assez vilaine histoire de jeu à Monte-

Carlo et il est mort jeune aux colonies... Vous le saviez?

— Vaguement...

Devant Me Boniface, sous sa grosse main velue et douteuse, une chemise couleur saumon portait en ronde les mots : *Affaire Donge*. C'était là-dedans que Bébé Donge...

— Quant à ce Donneville, que votre belle-mère a épousé... Si je ne me trompe, il était du Nord, de Lille ou de Roubaix... Un ingénieur qui, aussitôt après son mariage, a accepté une place en Turquie... Eugénie Chartier, à cette époque, était une des plus belles filles du pays...

Sa main ouvrait, refermait le dossier. François se demandait quand Me Boniface aborderait enfin son sujet et soudain l'avocat y venait, tout à trac.

— Voyez-vous, monsieur Donge, ce qu'il y a de plus regrettable dans notre affaire, c'est l'arme que ma cliente a choisie. Les jurés pardonnent parfois un coup de revolver ou un coup de couteau, quoique les jurys de province soient plus sévères que ceux de Paris. *Ils ne manifestent jamais d'indulgence à l'égard des empoisonneuses!* Remarquez que, d'un côté, ils n'ont pas tort. Il est presque impossible de plaider le crime passionnel commis à l'aide de poison.

Sous le coup d'une émotion violente, on peut tirer un coup de feu, voire saisir une hache et frapper. Il est difficile d'admettre que cette émotion se maintienne assez longtemps à un tel diapason pour permettre de se procurer le poison, d'attendre le moment favorable et d'accomplir les menus gestes nécessaires...

Encore une prise, sans que son regard se détachât de François qui n'avait jamais été aussi mal assis sur une chaise. C'était sans doute la première fois de sa vie que Donge perdait à ce point ses moyens. Il ne se sentait plus lui-même. Il ne reconnaissait pas le drame, ni lui, ni Bébé, dans cette affaire Donge telle qu'elle sortait du dossier qu'écrasait la lourde patte de l'avocat.

— Ma cliente, en outre, a commis l'imprudence d'avouer qu'elle s'était procuré le poison trois mois avant le crime. Connaissez-vous M. Roy, notre procureur général? Je prévois les effets qu'il tirera de cette constatation. Puis-je vous demander, monsieur Donge, sous quel régime vous êtes marié?

— Nous n'avons pas signé de contrat de mariage...

Il répondait docilement, d'une voix neutre, comme à l'école. Il avait le trac. Il eût été incapable, dans ce bureau aux meubles noirs, aux bibelots fanés, aux vitraux multicolores qui brouillaient la lumière, d'imaginer seulement la silhouette, le visage, les cheveux de sa femme!

— Donc, communauté des biens... Ce qui n'est pas pour faciliter ma tâche... A combien évaluez-vous votre fortune?

— C'est difficile à dire...

— ·Grosso modo...

— Si l'on devait vendre tout à coup... La tannerie n'a pas grande valeur... Mais la fromagerie, terrains, bâtiments, matériel, a coûté plus de douze cent mille francs... Quant au...

— Quel revenu en tiriez-vous? De l'ensemble...

— Environ six cent mille francs, pour mon frère et moi...

— Vous êtes associés, en effet... Évaluons donc votre part du capital à un peu plus de deux millions... Le procureur général dira trois...

— Je ne saisis pas le rapport... se permit timidement François.

— Le rapport entre ces chiffres et le geste de ma cliente? C'est que vous ignorez, monsieur Donge, que les empoisonnements sont, neuf fois sur dix, quatre-vingt-quinze

fois sur cent, des crimes dictés par l'intérêt... Dans les cinq autres cas, il s'agit d'une
femme qui veut se débarrasser d'un mari
gênant pour épouser son amant... C'est ce
que nous voyons, par exemple, dans les
fermes : une paysanne qui veut épouser son
valet et qui a recours à la taupicine pour se
rendre veuve...

Le mouchoir se déploya, la trompe souf-
fla, Me Boniface poussa un soupir de satisfaction et se tut un moment en regardant
son interlocuteur.

— Je m'empresse d'ajouter que je ne
crois pas que ce soit le cas. Néanmoins,
dans l'ignorance où nous sommes du terrain
que choisira le ministère public pour y
porter le débat, nous devons tout prévoir.
Je pourrais vous citer une affaire, l'affaire
Martineau, dans laquelle un de mes illustres
confrères parisiens avait préparé son dossier
avec minutie. Or, le procureur général, à
l'audience, posa la question de telle sorte...

François était moite. Peut-être, si on lui
avait demandé brusquement où il était,
aurait-il eu de la peine à répondre? Il ne se
sentait nulle part, ni dans le temps, ni dans
l'espace. C'était, en plus déroutant, le sup-
plice des salles d'attente. Et la voix de

l'avocat sale et barbu continuait, satisfaite, un peu grasseyante, impitoyable :

— Deux millions, c'est une somme, monsieur Donge! J'ignore quels seront les jurés tirés au sort. Il y aura parmi eux de petits boutiquiers gênés par une échéance de quelques centaines de francs, des employés, des rentiers modestes. Lorsqu'on leur citera le chiffre de deux millions... Il y a un autre détail auquel vous n'avez peut-être pas pensé... Qu'est-ce qui vous prouve que c'est le dimanche 20 août que vous avez pris pour la première fois de l'arsenic dans votre café?

— Mais...

— Laissez-moi parler!

Il le faisait comme doit manger un ogre, des dents, de la barbe, de toute sa masse que l'appétit mettait en mouvement.

— Ma cliente a avoué qu'elle avait pris l'arsenic dans votre laboratoire trois mois plus tôt... Or, chacun sait, ne fût-ce que par la lecture des faits divers et des comptes rendus des tribunaux, que l'arsenic, pour donner plus ou moins les apparences d'une mort naturelle, doit être administré à doses progressives, infimes tout d'abord. Ces doses infimes, qu'est-ce qui prouve que vous ne les avez pas absorbées sans le savoir?

François ouvrit la bouche, mais n'eut le temps de rien dire. Un geste catégorique de la main aux ongles noirs lui coupa la parole.

— Raisonnons froidement, comme il sied. Ne nous occupons pas pour l'instant des mobiles. Ce que nous savons, c'est que ces mobiles, quels qu'ils soient, existaient voilà trois mois, puisque ma cliente, à ce moment, au risque d'être surprise, subtilisait un flacon d'arsenic dans votre laboratoire. Pendant ces trois mois, vous êtes allé régulièrement à *la Châtaigneraie*...

Ce mot de *Châtaigneraie*, dans la bouche de Me Boniface!... Impossible de se figurer la maison claire et si bien ordonnée...

— ... Vous y avez dormi, vous y avez mangé, vous y avez pris du café... Maintes fois, vous vous êtes trouvés réunis, avec votre belle-mère, votre frère et votre belle-sœur, dans le parc où le drame a eu lieu... Il y a donc eu, trois mois durant, les mêmes circonstances que nous appellerons favorables... Mêmes mobiles... Mêmes circonstances... Pourquoi donc ma cliente aurait-elle attendu si longtemps?... Laissez-moi parler, monsieur Donge!... Mon devoir est d'envisager toutes les hypothèses et faites-moi confiance si je vous répète que M. Roy, le procureur général, ne s'en fera pas faute...

« Votre femme vous a-t-elle apporté une dot en se mariant? »

François se serait trouvé, dans une tenue sommaire, en caleçon, par exemple, dans le bureau de Me Boniface, qu'il n'aurait pas été plus mal à l'aise.

— Non... C'est moi qui...

— Votre belle-sœur, qui s'est mariée en même temps, a-t-elle apporté une dot à votre frère?

— Mon frère a les mêmes principes que...

— Non, monsieur Donge!... Je m'excuse d'être obligé, professionnellement, de me mêler de cela, mais les questions de sentiment n'ont rien à voir ici... Les demoiselles d'Onneville n'ont pu, ni l'une, ni l'autre, vous apporter de dot, pour la bonne raison que leur mère est à peu près sans fortune, sinon sans ressources... Si certains événements politiques ne s'étaient pas produits, Mme d'Onneville jouirait d'une aisance plus qu'honnête... Malheureusement pour elle, bien des choses ont changé en Turquie depuis son retour en France et les titres que son mari lui a laissés sont aujourd'hui presque sans valeur... A tel point qu'un de ses premiers soins a été d'hypothéquer la maison de ses parents à Maufrand...

François pensa soudain à la mouche se débattant sur la surface noire de l'eau, mais ce n'était plus à Bébé qu'il la comparait, c'était à lui. Le corps moite, il avait envie de demander qu'on ouvrît la fenêtre, de respirer de l'air véritable, de voir des hommes ordinaires passer dans la rue, d'entendre d'autres voix que cette voix satisfaite de l'avocat.

— En somme, c'est vous et votre frère qui, depuis dix ans, entretenez Mme d'Onneville...

N'était-il donc pas capable de hurler :

— Fichez-moi la paix avec toutes vos histoires! Cela n'a aucun rapport avec Bébé, aucun rapport avec nous, avec *la Châtaigneraie*, avec...

Ses doigts tremblaient. Il avait la gorge sèche. Et de voir le pouce de Me Boniface pousser la poudre de tabac dans les narines d'où sortaient des poils sombres lui donnait le haut-le-cœur.

— N'importe quelle affaire, voyez-vous, la plus petite comme la plus importante, une affaire de mur mitoyen comme un crime, doit être examinée sous tous ses aspects...

— Ma femme n'avait pas besoin d'argent...

— Vous lui en donniez autant qu'elle en voulait, c'est exact... Mais avez-vous la certitude que votre présence, que le fait que vous viviez, ne l'empêchait pas de l'employer comme elle l'aurait voulu?... Avez-vous la certitude que la vie qu'elle menait auprès de vous était la vie qu'elle désirait vivre?...

Il souriait presque, le vieux barbu. Peu lui importaient les êtres : il ne voyait que des actes et les ressorts possibles de ces actes.

— Mme d'Onneville a toujours été très mondaine... Elle a élevé ses filles dans le même esprit... Il est de notoriété publique qu'elle se plaignait de l'atmosphère poussiéreuse de notre ville, comme elle disait... Les toilettes de votre femme, je ne dirai pas faisaient scandale, mais étonnaient, ainsi que son indifférence, sinon son mépris, pour notre petite société... Vous êtes un homme d'affaires, monsieur Donge...

— Je puis vous affirmer...

— Ta ta ta ta ta ta...

François resta stupéfait, tant ces syllabes surprenaient sortant d'une pareille bouche.

— En de semblables matières, apprenez

204

donc à ne rien affirmer... J'ai donc établi...

Il eut envie de crier :

— Vous n'avez rien établi du tout!

— J'ai établi que le crime d'intérêt n'était pas à écarter *a priori*... Nous avons examiné les chiffres... Revenons aux faits, rien qu'aux faits... Ce dimanche-là, il ne s'est rien passé d'anormal, ni d'exceptionnel... Votre femme n'a pas reçu de lettre anonyme... La veille au soir, il n'y a pas eu de discussion entre vous...

— Qu'en savez-vous? eut-il le courage d'objecter.

Et la main de l'avocat se posa à plat sur le dossier qu'elle parut caresser.

— C'est ici dedans... Nous avons les déclarations formelles de ma cliente... De même, nous savons que ce matin-là elle ne vous a même pas vu avant l'heure du déjeuner... D'où je conclus qu'il n'y avait pas plus de raison de vous empoisonner ce dimanche-là plutôt que n'importe quel jour...

« Je vais plus loin... »

François ne put se contenir et se leva d'une détente, mais Me Boniface le fit se rasseoir d'un geste péremptoire.

— J'entendrai ensuite vos objections... Je vais plus loin... Ce dimanche-là, il y avait au moins trois témoins... Et, parmi ces témoins, celui que votre femme devait craindre le plus, votre frère, dont tout le monde connaît l'attachement à votre personne...

« Votre femme sait que vous êtes chimiste, monsieur Donge... Votre frère, sans avoir ses diplômes, a, comme vous, l'habitude des poisons, que vous maniez journellement dans votre usine...

« Or, il est impossible d'administrer d'un seul coup une dose mortelle d'arsenic sans provoquer des symptômes que la plupart des gens, à plus forte raison des chimistes, sont capables de reconnaître... »

Il ne sourit pas, mais regarda son interlocuteur avec satisfaction, en tripotant les poils de sa barbe.

— Pourquoi votre femme, qui est intelligente, vous administre-t-elle ce jour-là, et justement ce jour-là, une dose pareille? Je vais vous l'apprendre... Mettons, si vous préférez, que c'est le procureur général qui parle... Ce dimanche-là, votre femme commet une erreur... Jusqu'alors, elle n'a mis dans votre café que des doses faibles, tout juste capables de vous miner peu à peu, de préparer le terrain... Dans le jardin trop éclairé, entourée de plusieurs personnes, sa main est moins sûre et...

— Mais je vous jure que tout cela est...

Et Me Boniface, avec un soupir navré :

— Je vous en prie, monsieur Donge!... Nous examinons les faits, rien que les faits... Et je n'y peux rien si les hypothèses qui en découlent logiquement... Ce n'est pas moi qui jugerai... Ce sont des hommes simples pour la plupart, qui ne connaîtront de vous et de ma cliente que ce qui en sera dit dans le prétoire...

Alors François fit comme la mouche sur l'eau glacée. Il s'immobilisa. Il ne se sentait pas la force de lutter davantage. Écoutait-il encore? Les paroles de Me Boniface lui arrivaient de loin, mais avec une netteté qui avait quelque chose de cru, d'implacable.

— L'instruction est terminée depuis hier. Ce matin, le dossier sera envoyé à la Chambre des mises en accusation... Ce dossier, hélas! ce n'est pas moi qui l'ai établi : c'est votre femme elle-même, et elle n'a jamais voulu tenir compte de mes conseils.

« Peut-être eût-il été possible de plaider le crime passionnel sans mettre de tierces personnes en cause?... Il y a, dans vos comportements, certaines aventures assez notoires pour être évoquées à la barre avec une discrétion suffisante... »

Ces mots furent dits rapidement. Mᵉ Boniface, évidemment, réprouvait toute atteinte à la morale. Sa fille bossue... La servante impossible... Ses ongles sales et son cabinet aussi lugubre que la boutique d'un pharmacien, des livres démantelés remplaçant les bocaux sur des étagères du même noir...

— M. Giffre, le juge d'instruction, dont c'est la première affaire importante dans ce pays, a conduit ses interrogatoires avec une prudence et une sagacité auxquelles je me plais à rendre hommage... Si vous le permettez, je vais vous lire quelques réponses de ma cliente...

Est-ce qu'enfin Bébé allait apparaître, fût-ce déformée par le terrible avocat et par le juge en vélo? Le dossier saumon s'entrouvrait. Il en sortait des feuilles dactylographiées.

« *Question :* Vous avez déclaré hier que vous n'étiez pas jalouse de votre mari et que, quelques semaines après votre mariage, vous lui aviez donné toute liberté au sujet des femmes...

« *Réponse :* A condition qu'il ne me cache rien... »

François ferma les yeux une seconde. Il lui semblait voir Bébé faire cette réponse d'une voix nette, toute droite, les traits aigus. Me Boniface lui lança un bref regard et continua sa lecture.

« *Question :* Cet arrangement a toujours été observé, dès lors, de part et d'autre?

« *Réponse :* Toujours...

« *Question :* Aimiez-vous votre mari?

« *Réponse :* Je ne sais pas...

« *Question :* Autrement dit, viviez-vous comme mari et femme ou, comme il semble découler de vos déclarations précédentes, comme deux camarades?

« *Réponse :* Comme mari et femme... »

Encore un coup d'œil, cette fois plus curieux, de Me Boniface à François qui restait rigoureusement immobile. Me Boniface ne pouvait évidemment comprendre qu'on pût vivre comme...

« *Question :* Ces deux attitudes ne vous semblent-elles pas contradictoires?

« *Réponse :* Je ne le croyais pas.

« *Question :* Et maintenant?

« *Réponse :* Je ne sais pas...

« *Question :* Vous maintenez donc que ce n'est pas sous le coup de la jalousie que vous avez attenté à la vie de votre mari?

« *Réponse :* Oui...

— C'est évident !

Cette fois, Me Boniface, surpris, sidéré, regarda François avec une stupeur presque comique. Et, comme François ne bronchait pas, il se hâta de se bourrer le nez de tabac et de poursuivre :

« *Question :* Je vais vous poser une question plus précise : Si la jalousie n'est pas le mobile du crime, dois-je en conclure que c'est la haine ou l'amour ?

« *Réponse :* C'est la haine...

« *Question :* Or, vous avez déclaré par ailleurs que vous aimiez votre mari... A quel moment la haine s'est-elle substituée à l'amour ?

« *Réponse :* Je ne peux pas préciser...

« *Question :* Plusieurs années ?

« *Réponse :* Je ne crois pas...

« *Question :* Un an ?... »

Cela rappelait à François le confessionnal de son enfance, quand le prêtre insistait pour savoir s'il avait péché par intention, pensée, gestes ou regards...

« *Réponse :* Je ne sais pas...

« *Question :* Six mois ?

« *Réponse :* Probablement davantage...

« *Question :* Mais l'idée de le supprimer ne vous est venue que quand vous avez dérobé le poison dans son laboratoire ?

« *Réponse :* Je n'avais pas encore l'intention de le supprimer.

« *Question :* Quel était donc votre but?

« *Réponse :* Je l'ignore... Cela ne pouvait plus durer... Il fallait que ce fût lui ou moi... Je n'ai pas eu le courage de me tuer, peut-être à cause de Jacques... Un enfant a davantage besoin d'une mère que d'un père...

« *Question :* Ainsi, vous avez envisagé la question de savoir qui, de vous deux, il était préférable de supprimer?

« *Réponse :* Oui...

« *Question :* Ce débat a duré longtemps?

« *Réponse :* Plusieurs mois...

« *Question :* Où se trouvait l'arsenic pendant ce temps?

« *Réponse :* Dans ma coiffeuse... Dans le fond d'une boîte à poudre de riz...

« *Question :* Et, chaque fois que votre mari venait à *la Châtaigneraie*, vous le regardiez, vous mangiez avec lui, vous dormiez dans la même chambre en sachant qu'un jour ou l'autre vous attenteriez à sa vie?

« *Réponse :* Ce n'était pas tout à fait décidé, mais j'y pensais...

« *Question :* Vos griefs étaient donc terribles?

« *Réponse :* Je ne pouvais plus vivre près de lui...

« *Question :* Pourriez-vous détailler ces griefs?

« *Réponse :* Non...

« *Question :* Vous refusait-il le nécessaire? Était-il dur à votre égard? Vous faisait-il des reproches? Vous battait-il? Se montrait-il jaloux, soupçonneux?...

« *Réponse :* Il ne s'inquiétait pas de moi.

« *Question :* De tierces personnes vous ont-elles encouragée dans la voie que vous suiviez?

« *Réponse :* Personne.

« *Question :* Quelles relations existaient entre votre mère et votre mari?

« *Réponse :* Celles de gendre à belle-mère, je suppose. François la subissait sans impatience et lui donnait de l'argent...

« *Question :* Sans jamais discuter?

« *Réponse :* Sans trop discuter...

« *Question :* Vous en auriez donné davantage à votre mère si vous aviez été maîtresse de la fortune?

« *Réponse :* Peut-être...

« *Question :* Vous reconnaissez donc avoir attenté, par haine, à la vie de votre mari, mais vous êtes incapable d'exposer les raisons de cette haine...

« *Réponse :* Je souffrais trop...

« *Question :* Les juges américains admettent, pour le divorce, un motif que nos lois ne reconnaissent pas et qu'ils appellent *cruauté morale.* Est-ce de cruauté morale que vous accusez votre mari ?

« *Réponse :* ...

« *Question :* Ce dimanche 20 août, vous avez préparé froidement sa mort... Vous êtes descendue de votre chambre avec le papier qui contenait l'arsenic... Connaissiez-vous les effets exacts de l'arsenic ?

« *Réponse :* Je savais qu'il tuait...

« *Question :* Et vous ne vous êtes pas préoccupée des conséquences que ce geste entraînerait pour vous ?

« *Réponse :* Non ! Il fallait en finir...

« *Question :* En finir avec quoi ?

« *Réponse :* Je ne sais pas... Ce serait trop long...

« *Question :* Essayez.

« *Réponse :* Vous ne comprendriez pas...

« *Question :* Vous aviez le sachet dans votre main quand vous avez sucré le café ?...

« *Réponse :* Je l'avais depuis que j'étais sur la terrasse. Je l'avais placé dans mon mouchoir...

« *Question :* Vous n'avez pas eu une hésitation, pas un scrupule ?

« *Réponse :* Non.

« *Question :* Quand avez-vous pris la décision définitive?

« *Réponse :* Le matin, en me levant. Mon mari roulait le tennis. Il était en pyjama et en pantoufles...

« *Question :* Et cette vue a suffi à vous faire décider sa mort?

« *Réponse :* Oui.

« *Question :* Vous n'avez pas eu de remords en lui voyant boire le café empoisonné?

« *Réponse :* Non. Je me demandais s'il s'en apercevrait...

« *Question :* Or, il ne s'est aperçu de rien?

« *Réponse :* Je crois qu'il lui a trouvé mauvais goût. François n'est pas à ça près... »

L'avocat leva la tête. Il se demandait pourquoi son interlocuteur venait de s'agiter. C'était ce « François » inattendu...

— Continuez... fit Donge, les nerfs tendus.

— Vous remarquerez que l'interrogatoire a été conduit de main de maître. Ce n'est pas le premier qui me passe par les mains, mais je puis vous affirmer... Voyons... Où en étions-nous?...

— ... à ça près...

« *Question :* Dès ce moment, vous avez attendu le résultat de votre geste?

« *Réponse :* Oui.

« *Question :* A quoi pensiez-vous?

« *Réponse :* Je ne pensais pas. Je me disais que c'était enfin fini...

« *Question :* En somme, vous aviez une sensation de délivrance?

« *Réponse :* Oui...

« *Question :* De quoi vous sentiez-vous délivrée?

« *Réponse :* Je ne sais pas...

« *Question :* Vous vous sentiez délivrée, n'est-il pas vrai, d'une tutelle qui vous gênait? Vous alliez pouvoir enfin vivre votre vie telle que vous la conceviez!

« *Réponse :* Ce n'est pas cela du tout...

« *Question :* Et quand il s'est levé, en proie aux premières douleurs, et qu'il s'est dirigé en titubant vers la salle de bains?...

« *Réponse :* Je souhaitais que ce fût vite fini...

« *Question :* Vous n'avez pas craint que votre crime fût découvert?

« *Réponse :* Je n'y ai pas pensé...

« *Question :* S'il avait succombé, qu'auriez-vous fait?

« *Réponse :* Rien. J'aurais continué à vivre avec mon fils.

« *Question :* A la *Châtaigneraie?*

« *Réponse :* Non... Je ne crois pas... Je ne sais pas... Je n'avais pas prévu ces détails... Il fallait que ce fût lui ou moi... Je ne pouvais plus y tenir... »

Me Boniface fut bien surpris, quand il leva les yeux du dossier qu'il venait de refermer, de voir un François qui le regardait d'un air triomphant. Et François, de son côté, fut comme douché par le coup d'œil sévère que l'avocat lui lança.

— Eh bien!... s'était écrié Donge. Vous voyez!...

— Qu'est-ce que je vois?

— Mais... il me semble...

— Il me semble, à moi, monsieur, que nous sommes en présence d'un cas de cynisme comme il ne m'en a pas été donné de voir au cours de ma longue carrière. J'avais espéré un instant pouvoir me raccrocher à l'irresponsabilité. Malheureusement, les trois experts qui ont été commis et dont je respecte le jugement sont formels. Votre femme est pleinement responsable de ses actes. Tout au plus pourrait-on plaider une certaine exaltation due à la solitude dans laquelle elle a vécu pendant ces dernières années...

« Si encore elle avait choisi le revolver...

216

— Mais vous ne comprenez pas que, justement...

Il avait presque envie de pleurer de rage devant tant d'incompréhension. Ce n'était pas dans le cabinet de M\e Boniface qu'il se trouvait, mais dans un corridor sans issue où il se débattait en vain, ne rencontrant que des murs nus, des surfaces qui ne donnaient aucune prise.

N'avaient-ils donc pas senti, tous, tant qu'ils étaient, le juge aux six ou sept enfants, M\e Boniface, le procureur général, Dieu sait qui encore, n'avaient-ils pas senti, à travers les réponses si nettes, si franches, si dépouillées de Bébé...

Il le sentait, lui! Hélas! il était impuissant à l'exprimer... Cette chose qui palpitait... Ce pouls qui battait, battait... Cette vie qui voulait à toute force...

Et qui ne rencontrait rien autour d'elle que le froid désert de l'eau glauque où elle allait s'enfoncer.

La conscience que le seul être, l'homme qui... Pendant des années, il avait pu... Pendant des années, cent fois, mille fois, il avait eu l'occasion de comprendre... Il n'y avait qu'un geste à faire...

Elle le savait... Elle guettait ses réflexes... Il arrivait, trépidant de vie... Il changeait de complet... Il s'étirait... Est-ce que, cette fois, enfin...

Mais non! Tout heureux de quelques heures de répit, il allait rouler son tennis, en pyjama, les pieds dans des pantoufles, les cheveux hirsutes... Il réparait le robinet de la cuisine... Il courait en ville chercher des champignons... Il se gavait de plaisir solitaire, sans daigner...

Et quand était tombée enfin une petite feuille à laquelle se raccrocher... C'était Mimi Lambert qui apportait dans la maison une illusion de vie personnelle... Il l'avait flanquée à la porte!... Pourquoi?... Il n'en savait rien... Parce qu'il était chez lui!... Parce qu'il était le maître!... Parce qu'il était l'homme!...

Rien que lui, même si lui n'y était pas.

— Ah! tu as voulu te faire épouser... Tant pis pour toi, ma fille... Sache seulement que tu as épousé un Donge et que les Donge...

Jeanne, elle, y avait échappé, parce que Jeanne n'aimait pas assez. Des Comités, des Gouttes de Lait, des Layettes où user ses forces vives et cela suffisait à rétablir l'équilibre...

Tout le malheur venait de ce que Bébé, elle, l'avait aimé, aimé jusqu'au désespoir total, irrémédiable! Et il ne s'était aperçu de rien!

— Tout ce que je peux vous dire, monsieur Donge, puisque vous avez pardonné et que vous souhaitez l'acquittement de votre femme, c'est qu'en tant qu'avocat...

Parce que, en tant qu'homme, il les jugeait encore plus sévèrement, l'un et l'autre, que n'importe quel juré ne pourrait le faire! Il se barbouillait le nez de tabac.

— Il m'est difficile de vous annoncer dès à présent ce que je plaiderai, car cela dépendra de la composition du jury autant que du réquisitoire... Mais laissez-moi vous avouer, en toute conscience, que je me trouve devant une tâche très lourde et que...

François ne sut jamais comment il était sorti de cette trappe. Me Boniface avait dû ouvrir la porte. Dès qu'il avait vu la lumière, dès qu'il avait reniflé un autre air, François s'était élancé. Avait-il seulement balbutié les politesses nécessaires?

Dans la rue, il y avait du soleil, de la poussière dans le soleil, un marchand de légumes qui traînait sa petite charrette à laquelle un chien était attelé.

— En Amérique... avait dit le juge d'instruction, qui n'était pas bête...

Quel mot avait-il donc employé?

— Cruauté morale...

Il tira trois ou quatre fois sur le démarreur de sa voiture en oubliant de mettre le contact.

Bébé avait déclaré :

— Il fallait que ce fût lui ou moi... J'ai pensé qu'un enfant a davantage besoin d'une mère que d'un père...

Il avait oublié que c'était jour de marché. Il corna longtemps au coin d'une rue encombrée.

— Vous ne voyez pas que c'est interdit? lui cria une commère en lui montrant un écriteau qu'on plantait ces jours-là entre les pavés.

Il dut faire toute une série de manœuvres et de marches arrière.

IX

Il reconnaissait le paysage. Il avait fait la
route une fois avec Félix. Ils avaient quitté
Millau à la tombée de la nuit. Ils y avaient
acheté des gants, car Millau est la ville des
gants. Le contremaître de la fromagerie
s'appelait Millau aussi.

Pour aller à Cahors, on traverse un vaste
plateau pierreux sans une maison, sans un
arbre, un désert de cailloux comme il doit y
en avoir dans la lune.

Pourquoi aujourd'hui était-il si pressé?
Ce n'était pas sa faute s'il l'avait oublié. Il
faisait tout son possible pour s'en souvenir.
Faire tout son possible! Qui est-ce qui avait
dit cela? Il faut croire que son possible ne
suffisait pas. Il est vrai qu'il était encore
faible. Non! Vraiment, en toute sincérité,
avec la meilleure volonté du monde, il ne

pouvait pas préciser pourquoi il était pressé.

Sans doute était-ce encore le crépuscule, car la lumière était la même que l'autre fois, ou plutôt il régnait une absence de lumière qui n'était pourtant pas l'obscurité. L'éclairage ne venait de nulle part. Les cailloux étaient du même gris froid que le ciel. Il n'y avait pas d'ombres, seulement quelques pierres plus grosses que les autres qui étaient peut-être des aérolithes.

Ce n'était ni le jour, ni la nuit, et lui, François, avait à la fois chaud et froid. Il était moite et il frissonnait. Il appuyait de toutes ses forces sur l'accélérateur et malgré cela l'auto n'avançait guère plus vite qu'un scarabée.

Est-ce qu'il allait passer sans *la* voir, ou plutôt en faisant semblant de ne pas *la* voir? Il savait que Bébé était là, sur la gauche, avec la petite auto blanche. Elle portait une robe de mousseline verte qui tombait jusqu'à ses chevilles, une grande capeline de paille crème et une ombrelle. Quelle idée de s'embarrasser d'une ombrelle pour voyager en auto! Il est vrai que la voiture était découverte. Elle ressemblait à celle de Mimi Lambert.

— Tant pis pour elle!

Bien sûr que Bébé lui adressait de grands signes avec son ombrelle. Mais pourquoi avait-elle pris l'auto blanche? Pourquoi s'était-elle aventurée toute seule dans le désert de lune? Pourquoi s'était-elle engagée dans ce petit sentier, à droite de la route, d'où elle ne pouvait plus se dégager?

Bébé était en panne. Tant pis! Il était pressé... Mon Dieu! Comment avait-il pu oublier où il allait et ce qu'il avait de si urgent à faire?

Passer devant le petit chemin en faisant semblant de ne pas voir sa femme? Ce ne serait pas galant, pas même poli. Le père Donge avait beau être tanneur, il avait enseigné la politesse à ses fils.

— Hello!... Bonjour, Bébé...

Voilà! Gaiement! Sans s'arrêter, sans ralentir, comme s'il ne savait pas qu'elle était en panne! Elle faisait toujours des signes avec son ombrelle. Trop tard! Il était passé. Il n'était pas censé voir derrière lui...

Combien de temps allait-elle rester là? Il n'avait pas une minute à perdre. Il avait un rendez-vous tout à fait urgent. La preuve, c'est qu'une foule l'attendait.

Ils étaient plus de cent dans la salle. Il y avait des gens qu'il connaissait et d'autres qu'il ne connaissait pas, des ouvriers de chez lui, le garçon du Café du Centre, celui qui, au nouvel an, lui remettait une petite bouteille de liqueur et un crayon réclame...

— Asseyez-vous...

— Il faut d'abord que je vous explique, monsieur le Roy...

— Ta ta ta ta... Je vous dis de vous asseoir...

Est-ce que tous ceux qui étaient là avaient reconnu comme lui Me Boniface? Le costume de roi le changeait, mais c'était bien sa barbe, en plus lisse, et ses sourcils broussailleux. Il portait un costume de roi, un manteau rouge, une couronne sur la tête, et il tenait un sceptre à la main. Quand il disait : « Ta ta ta ta... » il donnait des petits coups de son sceptre sur les épaules de François et son visage coloré comme celui d'un roi de jeu de cartes exprimait une joyeuse hilarité.

Voilà sans doute pourquoi les autres ne le reconnaissaient pas : à cause de ce visage coloré et de ce gras sourire !

— Mon petit ami...

— Pardon ! Je ne suis pas votre...

— Ta ta ta ta...

Et v'lan ! un bon coup de sceptre sur la tête. Alors, François, en baissant les yeux, s'apercevait avec effroi qu'il était en caleçon. Il fallait lui donner le temps de s'habiller. Il ne pouvait pas comparaître en caleçon devant le roi. Il en perdait tous ses moyens.

— Monsieur le Roy...

— Silence!... Silence aussi, là-bas, dans le fond...

François se retournait et ne voyait que des têtes, des centaines de têtes — il avait dû entrer encore du monde — dans une vaste salle aux boiseries noires qui ressemblait au cabinet de Me Boniface.

— ... cruauté morale... Vous êtes atteint de cruauté morale, mon petit ami... Ha! Ha!... Le tribunal vous condamne à vingt ans d'hôpital... Sœur Adonie... emmenez le condamné!...

— Monsieur!... Monsieur!... Il est huit heures...

La vieille servante du quai des Tanneurs était affairée.

— Quel costume dois-je vous préparer?... Vous feriez bien de prendre un bain... Votre lit est tout défait... Vous vous êtes sûrement agité toute la nuit...

— Quel temps fait-il?

— Il pleut...

Un complet noir, c'était peut-être exagéré. Il aurait l'air de... Un complet gris?

D'ailleurs, il n'était pas dit qu'il devrait paraître au tribunal. Me Boniface l'avait supplié de rester chez lui.

— Vous n'êtes cité ni par le ministère public, ni par la défense. J'aime mieux me servir, selon les besoins, de vos déclarations précédentes, que vous avoir à la barre... Si le président, en vertu de son pouvoir discrétionnaire, décidait de vous entendre, je vous donnerais un coup de téléphone... Restez chez vous...

Ce fut un peu comme une journée d'enterrement. Il y avait dans la maison des courants d'air inhabituels. La vieille servante avait pleuré. Elle lui parlait comme à un homme en grand deuil.

— Il faut que vous mangiez quelque chose... Cela vous mettra d'aplomb...

Il avait donné congé au personnel. On sentait les bureaux vides. On n'entendait pas les bruits familiers de l'usine. Puis c'était Félix qui arrivait en auto avec Jeanne. Un Félix grave, anxieux, qui le regardait d'abord avec inquiétude, puis qui l'embrassait sur les deux joues.

— Comment ça va, mon pauvre François?

Il s'était habillé avec plus de soin que de coutume. Jeanne aussi qui, elle, était en

.ioir. Tous deux allaient au Palais, où ils étaient cités.

— Tu seras calme, n'est-ce pas? insistait Jeanne. Je t'assure que tout se passera pour le mieux... A propos, j'ai reçu un télégramme de maman...

Elle lui tendit le papier bleu.

« Violente crise rhumatismes stop impossible voyager stop ai envoyé Boniface certificat médical et déposition écrite stop télégraphiez résultat stop Baisers maman. »

On regardait l'horloge. Neuf heures moins dix. La séance commençait à neuf heures.

— Dès que tu auras été entendu, tu me téléphoneras, n'est-ce pas, Félix?

Marthe arriva de *la Châtaigneraie* par l'autobus. Elle était citée, elle aussi. Jacques restait seul là-bas avec Clo.

— A tout à l'heure...

On essayait de se sourire, sans y parvenir. Une pluie fine lavait les vitres. C'est à peine si quelques feuilles jaunes se raccrochaient encore aux branches noires des arbres du quai. Juste en face de la maison, un pêcheur à la ligne était immobile, massif dans son

227

ciré, l'œil fixé sur son bouchon qu'entouraient les petits cercles mouvants.

— Monsieur devrait faire quelque chose, n'importe quoi, pour que le temps lui dure moins...

D'avoir mal dormi, d'avoir trop rêvé, il avait la tête vide, les lèvres brûlantes. Il passait et repassait sans cesse devant le téléphone, souhaitant un appel, souhaitant qu'on lui dise de bondir jusqu'au Palais de Justice.

— Deux séances suffiront, avait affirmé Me Boniface. Étant donné que ma cliente a fait des aveux complets, le ministère public a renoncé à l'audition de la plupart de ses témoins. J'ai agi de même de mon côté. Moins il y a de témoins et plus la défense est aisée, parce que l'avocat a le champ libre...

François avait proposé d'attendre dans un petit café proche du Palais de Justice.

— Vous êtes **trop** connu en ville. Cela se saurait et cela passerait pour un manque de dignité...

Qu'est-ce que Me Boniface lui avait fait écrire sous sa dictée? Il s'était débattu. Il trouvait les formules ridicules, et si loin de la réalité!

*En mon âme et conscience, devant Dieu et
devant les hommes...*

— Ne croyez-vous pas que...?
— Écrivez ce que je vous dis. C'est le
style qui convient aux jurés...

*...je pardonne à ma femme le mal qu'elle
m'a fait et celui qu'elle a tenté de me faire...*

— Écoutez, maître Boniface, je n'ai pas
à pardonner, puisque je considère que...
— Voulez-vous, oui ou non, aider la
défense?

*...Je me rends compte que la solitude et
l'inaction dans lesquelles j'ai laissé une
femme jeune, habituée à une vie plus brill-
lante...*

— Vous ne pensez pas que, si je me
présentais à la barre et si...
— Vous leur parleriez comme vous
m'avez parlé et personne ne comprendrait.
A force de vouloir blanchir votre femme,
vous risqueriez d'atteindre le résultat
contraire... Donnez-moi votre lettre...
Il tressaillit, se précipita vers le téléphone.

— Allô!... François Donge, oui... Mais non, monsieur! Les bureaux sont fermés aujourd'hui... Vous devriez le savoir... Non, il m'est absolument impossible de prendre une commande...

L'écouteur à la main, il interrogeait l'horloge. Neuf heures quarante! La lecture de l'acte d'accusation devait être terminée. François savait qu'il ne comportait que dix pages dactylographiées...

Il avait fallu distribuer des cartes. Toutes les dames de la ville étaient là et Bébé, pâle et digne, comme à l'église, au banc d'œuvre... Me Boniface devait lui avoir dit que François ne serait pas là, que c'était lui qui le lui avait interdit, mais ne le cherchait-elle pas machinalement dans la foule?

Les jurés, d'un côté, bien rangés, comme pour une photographie, comme sur la photographie des maîtres tanneurs, dans leur meilleur costume...

— Monsieur devrait faire quelque chose, n'importe quoi...

Dix heures et demie et pas encore de coup de téléphone! Il descendit dans son bureau, remonta dans sa chambre, redescendit, ouvrit la porte de la rue.

— Monsieur sait bien... haleta la servante qui accourut.

Elle avait cru qu'il partait. On lui avait recommandé de veiller sur François. Il voulait simplement prendre l'air. On était en octobre. Il faisait frais. Le pêcheur était toujours là. Des enfants passaient, vêtus de cabans qui leur donnaient l'aspect de gnomes.

— Ce n'est pas la sonnerie du téléphone?

— C'est mon réveil, dans ma chambre...

Enfin, à onze heures et quart, une auto s'arrêta au bord du trottoir, celle de Félix. Celui-ci était nu-tête.

— Eh bien...?

— Rien... Tout se passe très bien, simplement... Il paraît que le jury n'est pas trop mauvais, à part le pharmacien... Me Boniface en avait déjà récusé cinq, si bien qu'il n'a pas osé le récuser aussi... Bien entendu, c'est le pharmacien qui a été nommé chef du jury...

Félix donnait l'impression de venir d'un autre monde.

— Et elle?

— Parfaite... Elle n'a pas changé... Elle a plutôt un peu grossi que maigri... A son entrée, on aurait dit que toutes les respirations étaient suspendues...

— Comment est-elle habillée?

— Elle a mis son tailleur bleu marine et

231

un petit chapeau sombre... Elle semblait entrer dans un salon, un jour de grande cérémonie... Elle s'est assise avec calme... Puis elle a regardé autour d'elle comme si...

La gorge de Félix se serrait.

— L'avocat général?

— Il est gros et il a des furoncles... Il a été dur, moins cependant que ce qu'on aurait pu attendre de lui... En somme, jusqu'ici, les choses se sont passées avec beaucoup de simplicité... On a l'air d'accomplir des formalités...

« — Plus de question à poser au témoin?

« — Plus de question...

« — Et vous, maître?

« — Aucune question...

« De sorte que les témoins paraissent déçus d'avoir été dérangés pour si peu... Ils hésitent à quitter la barre... La marchande de modes s'y incrustait tant et si bien que l'auditoire a éclaté de rire et que le président a dû insister :

« — Puisqu'on vous dit de vous retirer, madame...

« Elle est partie en égrenant je ne sais quelles jérémiades... »

Jeanne ne tarda pas à rentrer, en taxi.

— Comment te sens-tu, François?... Je me demande, tout compte fait, si cela

n'aurait pas mieux valu que tu viennes...
C'est beaucoup plus simple qu'on l'imagine... Je craignais d'être impressionnée...
Or, ce n'est pas impressionnant du tout...
Quand je suis arrivée à la barre, Bébé m'a
adressé un petit signe de la main que les
autres ne pouvaient voir... Comme ceci...
Rien qu'en levant deux doigts... Comme
nous faisions quand nous étions petites et
qu'à table nous voulions communiquer
entre nous... Je jurerais qu'elle a souri... A
table, mes enfants!... Il faut que Félix soit
au Palais pour la reprise de l'audience, à
une heure et demie...

Des bruits de fourchettes dans le silence,
toujours comme à un repas d'enterrement.

— On espère encore que ce sera fini
aujourd'hui?

— Cela dépendra de l'avocat général...
Me Boniface affirme que, pour sa part, il ne
parlera pas plus d'une heure... Il paraît
qu'il fait toujours la même promesse, ce qui
ne l'empêche pas de parler pendant deux'ou
trois heures s'il sent l'auditoire favorable...

Félix partit. Jeanne resta.

— Dis-moi, François... Il n'est pas trop
tôt pour songer à certains détails... Je
touche du bois... Au cas où elle serait
acquittée... Elle voudra voir Jacques tout

de suite... Ne crois-tu pas qu'il est préférable de ne pas la conduire à *la Châtaigneraie?*... Il fera nuit... Je crains que cela lui rappelle des souvenirs... Sais-tu ce que je propose?... Nous allons prendre la voiture... Je conduirai, car je crains que tu sois trop nerveux... Nous irons là-bas et nous ramènerons Jacques avec tout ce qu'il lui faut pour la nuit... Si tu veux, nous ramènerons Clo aussi... Dans une heure, nous serons de retour... Me Boniface n'aura sûrement pas besoin de toi d'ici là...

Il n'était pas trois heures. Il finit par accepter. On roula dans la pluie. La route était déserte. L'essuie-glace marchait mal et Jeanne devait se pencher pour voir devant elle.

— Dès que Félix t'aura téléphoné, tu te rendras au Palais... Tu laisseras l'auto devant la petite porte qui donne rue des Moines...

La barrière blanche. Clo qui accourait, croyant que c'était déjà la grande nouvelle, peut-être madame!

— Habillez le petit, Clo!... Mettez dans une valise son nécessaire de toilette et ses vêtements de nuit...

— Où est maman?

— Tu la verras sans doute ce soir, ta maman...

— Elle ne sera pas condamnée?

Et pendant qu'on l'habillait, François allait et venait dans la maison qu'il ne reconnaissait plus comme sienne. Il avait l'impression de l'abandonner pour toujours, d'assister à un déménagement définitif.

— Si je téléphonais?

— Où?

— A la maison...

Il le fit.

— C'est vous, Angèle?... Ici, monsieur... On n'a pas téléphoné pour moi?... Vous êtes sûre?... Vous ne vous êtes pas éloignée?... Bon!... Nous serons là dans une demi-heure... La chambre du petit est prête?... Allumez quelques bûches, oui, car l'air est cru...

Au fond, la journée passa plus vite qu'on n'aurait pu le craindre. Me Boniface devait être en pleine plaidoirie, le nez bourré de poudre de tabac, toutes manches déployées et, quand il élevait la voix, on entendait vibrer l'écho des syllabes dans les angles les plus reculés du prétoire.

De jeunes avocats, des avocats debout près de la petite porte des témoins...

— Tu devrais boire un verre d'alcool,
François...

Jacques était dans la cuisine, à bavarder
avec la vieille Angèle.

— Est-ce que tu le sais, toi, ce qu'elle a
fait, maman? Ils n'oseront pas la condamner, n'est-ce pas, sinon ce serait une erreur
judiciaire... Marthe me l'a dit...

Et Marthe revenait du Palais, toute
mouillée, car elle avait oublié son parapluie
dans la salle des témoins.

— C'est Me Boniface qui parle...
annonça-t-elle en se mouchant. Beaucoup
de personnes pleurent dans la salle...
M. Félix m'a dit de rentrer et de vous
annoncer que tout allait bien..

— Non, François... N'y va pas encore...

Mais il ne pouvait plus y tenir. Il endossa
son pardessus, chercha fébrilement son
chapeau. La nuit était tombée. Il oublia
d'éclairer les phares de sa voiture et, près
du pont, fut interpellé par un agent.

Quand il arriva place du Palais-de-Jus-
tice, la foule allait et venait sur le parvis,
comme à un entr'acte de théâtre, et discu-
tait par petits groupes. Il comprit que le
jury s'était retiré pour délibérer. Il resta au
volant, le long du trottoir. Il avait peur
d'être reconnu. Il vit Félix, nu-tête, sans

manteau, qui sortait d'un bureau de tabac
et qui reconnut la voiture.

— Je viens de te téléphoner... Nous
saurons dans quelques minutes... Tu n'aurais pas dû venir...

— Qu'est-ce qu'on prévoit?

— Ce n'est pas mauvais... Mᵉ Boniface a
fait une magnifique plaidoirie... Il paraît
que, si le jury reste longtemps en délibéra-
tion, c'est bon signe... Si, au contraire, il
revient dans quelques minutes... Reste dans
la voiture, François... Veux-tu que j'aille te
chercher quelque chose à boire?

— Non... Bébé?

— Toujours la même... Marthe t'a dit
qu'il y avait des femmes qui pleuraient
dans la salle?... Mᵉ Boniface a longuement
décrit son existence à Constantinople, sa
famille, ses...

Les doigts de François se crispèrent sur
son bras. On voyait des gens rentrer précipitamment dans le Palais. L'instant
d'après, on apprenait que c'était une fausse
alerte. Le jury était toujours en séance.

Et Félix, pour occuper l'esprit de son
frère, parlait, parlait sans conviction, dévi-
dait des phrases.

— Il s'est longuement étendu sur l'im-
préparation de la jeunesse d'aujourd'hui à

la vie réelle et sur les contrecoups inévitables d'une éducation qui néglige systématiquement...

La place était mouillée, avec des reflets de lumières. Des journalistes téléphonaient leur papier du café du coin. Un homme entre deux âges, bien mis, qui avait peut-être reconnu l'auto de Donge, vint cyniquement coller le visage à la vitre et ne se retira que quand il vit les deux frères qui le regardaient.

L'instant d'après, sur les dernières marches, il expliquait à un groupe, en désignant la voiture...

— Promets-moi de rester ici, François... Il ne faut pas qu'au moment du verdict...

Cette fois, la sonnerie retentissait, toujours comme au théâtre. Les gens se bousculaient. On voyait des silhouettes galoper parmi les flaques d'eau.

— Tu ne bougeras pas, n'est-ce pas?

Une auto s'arrêtait derrière la sienne. C'était Jeanne qui ne pouvait y tenir.

— C'est le verdict?

François fit oui de la tête.

— Avance de quelques mètres... Tout à l'heure, il y aura la cohue... Je vais te montrer la petite porte.

Une porte gothique, comme une porte de

sacristie. Aucun gardien. Quelques marches usées puis un corridor non éclairé, plutôt un souterrain. C'étaient les coulisses du Palais de Justice.

— Où vas-tu, François?...

Il faisait quelques pas, malgré lui. Il gravissait les marches. Jeanne le suivait, alarmée. Le corridor faisait un coude. Soudain on se heurtait à de l'humain, à de la chaleur animale. C'étaient des gens collés contre une porte qu'un gendarme gardait et sous laquelle on apercevait un trait de lumière.

Au-delà de cette porte, on devinait une foule en suspens et une voix qui se voulait assurée s'élevait soudain, nette, détachant les syllabes :

— *Première question : oui...*

La première question était :

« L'accusée est-elle convaincue d'avoir voulu donner la mort? »

— *Deuxième question : oui...*

C'était la question de préméditation. François avait eu quelque peine à comprendre les explications de Me Boniface à ce sujet. Me Boniface lui avait déclaré :

— Même si les jurés répondent oui à la première question, il est possible qu'ils répondent non à la seconde...

— Mais ma femme avoue la préméditation.

— Cela n'a aucune importance... Il s'agit de déterminer le degré de la peine... En répondant non à la seconde question, les jurés descendent cette peine d'un degré...

Une rumeur dans le prétoire. La main de Jeanne qui, dans l'obscurité, cherchait celle de François et la serrait.

Sonnette... Rappel à l'ordre...

— *Troisième question : oui...*

On s'agita autour d'eux. Ainsi, le jury avait accordé les circonstances atténuantes!

— Reste, François...

D'ailleurs, aurait-il voulu se précipiter, le gendarme l'en aurait empêché.

Un silence. Des bruits de pas. Pendant les quelques instants que la cour allait employer à délibérer, les gens se dirigeaient vers la sortie. Si l'audience avait duré deux heures de plus, si elle avait duré toute la

240

nuit, personne ne serait parti. Mais maintenant qu'on connaissait le verdict...

— Reste calme, François...

Jeanne pleurait silencieusement. Ils ne se
voyaient pas. Ils ne voyaient toujours que
ce trait lumineux sous la porte et devi-
naient les galons d'argent du gendarme.

— La Cour ayant délibéré...

Le piétinement cessa sur les dalles.
Chacun s'immobilisait soudain.

— ... condamne...

Un sanglot. C'était Jeanne, qui s'était
pourtant juré de garder son sang-froid. Elle
ne lâcha pas la main moite de François.

— ... à cinq ans de travaux forcés...

Un bruit étrange, un peu comme celui de
la mer qui se retire sur les galets. La foule
manifestait. Certains s'en allaient. D'autres
s'attardaient dans le prétoire dont on étei-
gnait la moitié des lumières.

— Viens!

Jeanne connaissait déjà les coulisses. Elle
longea vivement un couloir, poussa une
porte, celle d'une petite pièce où il n'y avait
qu'un banc pour tout mobilier et où les
murs étaient de pierre nue. Une autre porte
était ouverte, en face. On put voir les juges
qui se retiraient en procession. Bébé parut,
descendit trois marches, suivie par ses deux

241

gendarmes, par Me Boniface, déployant ses ailes noires...

Mais tout disparut, la porte ouverte, le morceau de prétoire vide, les représentants de la loi et l'avocat en robe. Est-ce que Jeanne était présente?

Il n'y avait plus que Bébé, dans la pénombre, avec, sous son chapeau, une demi-voilette mystérieuse qui ne couvrait que la moitié supérieure du visage.

— Tu étais là? dit-elle.

Et tout de suite :

— Où est Jacques?

— Il est à la maison... Je croyais...

Sa gorge était trop serrée. Les mots étaient gros et râpeux comme des noyaux de pêche.

Il tendait les mains vers les mains blanches de sa femme qui émergeaient des manches sombres du tailleur.

— Pardon, Bébé... Je...

— Tu es là aussi, Jeanne?

Les deux sœurs tombaient dans les bras l'une de l'autre, ou plutôt c'était Jeanne, sanglotante, qui tombait dans les bras de sa sœur.

— Il ne faut pas pleurer... Tu diras à Marthe... Mais elle viendra sûrement me voir demain... Je me suis renseignée... J'en ai pour une semaine au moins avant de partir pour Haguenau...

François entendait. Une image jaillissait, sortie d'un film qu'il avait vu avec... Pourquoi fallait-il que ce fût avec Olga? Des femmes en uniforme gris, en sabots, qui marchaient en rang et qui prenaient silencieusement leur place, comme des fantômes, le long des tables d'ateliers... Elles avaient les cheveux coupés court... Dès qu'elles levaient la tête, une surveillante...

Qu'importait la présence de Me Boniface et des deux gendarmes? Le respect humain n'existait plus.

— Je te demande pardon... Je crois que j'ai compris... J'espérais...

Il devinait ses yeux à travers la fine voilette. Ils étaient calmes et graves. Et voilà qu'elle secouait la tête. Ce n'était plus une femme comme les autres. Elle lui apparaissait inaccessible comme la Vierge devait apparaître aux premiers chrétiens.

— Cela n'aurait servi à rien, François!... Il est trop tard, tu comprends?... C'est cassé... Je ne savais pas moi-même à quel point... Quand tu as bu le café... Je te regardais... Je te regardais avec curiosité, rien qu'avec curiosité... Tu n'existais déjà plus pour moi... Et quand tu t'es levé, une main sur la poitrine, et que tu t'es précipité vers la maison... je n'avais qu'une pensée :

« — Pourvu que ça aille vite !...

« Cassé...

« Je ne devrais peut-être pas te dire ça, mais ça vaut mieux... Je l'ai expliqué à Me Boniface...

« Je crois que j'ai attendu trop long-temps, que j'ai espéré trop longtemps...

« Tout ce que je te demande, c'est de laisser Marthe avec Jacques... Elle a l'habitude... Elle sait ce qu'il faut faire... Maître Boniface, je vous remercie... Vous avez fait tout ce que vous avez pu... Je sais que si j'avais suivi vos conseils dès le début... Mais je n'avais pas envie d'être acquittée... Qu'est-ce que c'est ?... »

Elle avait tressailli. Un éclair de magnésium venait de jaillir. Un photographe était parvenu à se glisser dans la pièce.

— Adieu, Jeanne... Adieu, François...

Elle était prête à marcher entre ses deux gendarmes vers la voiture cellulaire qui l'attendait dans la cour.

— Tu ferais mieux de demander le divorce et de refaire ta vie... Ce n'est pas parce qu'on a raté, tous les deux... Tu as une telle vitalité !...

Ce fut le dernier mot qu'il entendit d'elle.

— .. une telle vitalité!...

Et elle le prononçait avec envie, avec regret.

Une porte... Des pas...

— Viens...

Mais c'était Jeanne qui flanchait et qui se jetait éperdument sur la poitrine de François.

— Ce n'est pas possible!.. Non! Ce n'est pas possible!... Bébé!... Notre Bébé!... François!... Ne la laisse pas partir.

Et François, machinalement, tapotait le dos de sa belle-sœur. Mᵉ Boniface se retirait à l'écart, en toussotant.

— François!... Bébé à Haguenau!... Pourquoi ne dis-tu rien?... Pourquoi laisses-tu faire ça?... François!... Non! Je ne veux pas...

Elle se débattait... C'était lui qui l'entraînait vers la sortie où ils retrouvaient un Félix affolé.

— Mon pauvre François...

Mais non! Mais non! Pas de pauvre François! Il n'y avait pas de pauvre François!

Il y avait simplement...

Il y avait quoi? C'était impossible à expliquer, fût-ce à Félix, fût-ce à Jeanne.

Il y avait que c'était son tour... Elle était

passée, là-haut, sur le plateau lunaire... Il gesticulait... Il l'appelait...

— Trop tard, mon pauvre François...

Elle était pressée. L'engrenage l'entraînait.

Il n'avait plus qu'à s'asseoir dans sa solitude pour attendre son second passage, si elle repassait jamais... Il n'y avait plus qu'à guetter les bruits, les pas, le choc net des aérolithes... Et le bruit des voitures qui...

— Tu ferais mieux de monter dans son auto et de conduire...

C'était la voix de Jeanne. Un trottoir, de la pluie, la devanture d'un petit café où l'on jouait au billard russe.

Comme s'il n'était pas capable de conduire son auto! Mais à quoi bon leur faire de la peine?

— Tu n'aurais pas dû amener Jacques... Il va falloir, maintenant...

— Je veux aller coucher à *la Châtaigneraie!* annonça François.

— Il est huit heures...

— Qu'est-ce que cela peut faire? Nous irons avec Jacques et Marthe... Je conduirai doucement...

Pour apprivoiser son fils. Puis...

— Ce n'est plus le même homme depuis que Bébé...

Les gens ne savaient pas. Les gens ne comprennent jamais. Parce que, s'ils comprenaient, il n'y aurait peut-être pas de vie possible?

— Adressez-vous plutôt à M. Félix... C'est lui, désormais, qui...

Me Boniface avait affirmé, le nez bourré de tabac et la chemise sale :

— Cinq ans?... Attendez!... Trois mois de prévention représentent déjà six mois de peine effective... En supposant une bonne conduite et quelque grâce présidentielle... Mettons trois ans, peut-être moins...

François comptait les jours. Tant pis si la Bébé qui reviendrait alors...

Elle serait là.

Elle serait là!...

Et même si, comme elle l'avait honnêtement annoncé...

*

— Voyez plutôt son frère Félix...

Vouvant, le 7 septembre 1940.

DU MÊME AUTEUR

COLLECTION FOLIO POLICIER

Dernières parutions

*Impression Bussière Camedan Imprimeries
à Saint-Amand (Cher),
le 30 juin 2000.
Dépôt légal : juin 2000.
1ᵉʳ dépôt légal dans la collection : novembre 1999.
Numéro d'imprimeur : 002930/1.*
ISBN 2-07-040838-8./Imprimé en France.

97337